ИРИНА АРБЕНИНА

ЗАМОК ЯНТАРНЫХ ПРИЗРАКОВ

МОСКВА, «ЭКСМО», 2005

УДК 82-3
ББК 84(2Рос-Рус)6-4
    А 79

Оформление серии художника *С. Курбатова*

Арбенина И.Н.

А 79   Замок янтарных призраков: Роман. — М.: Изд-во
Эксмо, 2005. — 320 с. — (Детектив глазами женщины).

ISBN 5-699-09548-9

В этой мрачной средневековой твердыне когда-то располагалась резиденция Тевтонского ордена, а теперь был музей. Эмма — спортсменка-лучница и фотомодель в отставке, нашла себе работу в его стенах. И целые дни проводила в высокой башне, занося в компьютер списки музейных экспонатов. Но странные обитатели замка не давали ей покоя: старый сторож, бросающий в камин черные бобы, якобы отгоняющие призраков, ученый-француз, появляющийся ниоткуда, словно соткавшись из тумана... И таинственные смерти, что начались незадолго до того, как девушка приехала в городок. Гибнет юная пианистка, выбросившись из окна замка накануне праздника Всех Святых; в день, на который назначена встреча с Эммой, умирает подруга Мари Бернстейн, завещавшей Эмме домик в этом городе. Да и смерть Мари теперь уже кажется девушке очень уж подозрительной...

УДК 82-3
ББК 84(2Рос-Рус)6-4

ISBN 5-699-09548-9   © ООО «Издательство «Эксмо», 2005

ЧАСТЬ ПЕРВАЯ

Глава 1

Мне больше не предлагают контрактов. Рекорды остались в прошлом, и рекламные агентства забыли обо мне. Я «сошла со сцены»!

Терраса ресторана, бокал красного вина и сумерки. Заметив, что я достала из сумочки сигареты, пожилой официант с лицом Луи де Фюнеса поторопился поднести огонь. Сигарета — единственный плюс моего нынешнего положения. Раньше мне нельзя было курить. Теперь можно.

Ветер перевернул страницу забытого кем-то глянцевого журнала. И она снова взглянула на меня с фотоснимка — глянцевая девушка в журнале, которая целилась из лука... Реклама дезодоранта «Эрроу». «Эрроу» — это значит «стрела»... «Эрроу» с его тонким запахом свежести разит наповал!»

Девушка в журнале — это я. Однако словно уже и не я.

Не только потому, что, разлетаясь по свету, твое приукрашенное, улучшенное с помощью компьютерных уловок, растиражированное изображение как бы отделяется от тебя и начинает жить самостоятельной жизнью... Кого-то влюбляет, кого-то раздражает, а кто-то и вовсе ставит на тебя пепельницу. Просто эта девушка на глянцевой странице была уже в прошлом. В «прошлом невозвратном».

Почти все время, что я жила на этом свете, я — согласитесь, странное занятие — стреляла из лука. Но ныне моя спортивная карьера закончилась... Я больше не стреляю по цели. Реклама дезодоранта «Эрроу», с моим лицом, ногами, руками, еще украшает страницы глянцевых журналов. Но это лишь клочья пены. Когда волна успеха уходит, пена шипит и гаснет на морском берегу, рассыпаясь на мельчайшие радужные лопающиеся пузырьки.

К этому не слишком радостному сравнению остается только добавить для полноты картины: единственное, что я умею делать, — это все-таки стрелять из лука. Немного, если речь идет о том, чтобы выжить в нашем мире. Пусть и стреляю я очень хорошо. Просто замечательно.

Этот город хорош тем, что можно сидеть в одиночестве за столиком кафе почти на краю тротуара, распутно (так это когда-то называла одна строгая дама) положив ногу на ногу, — и не поймать ни одного косого взгляда. Ни даже просто взгляда, нарушающего твой суверенитет. В том месте земного шара, где я родилась, такую уже давно бы обозвали проституткой.

Но завтра я уезжаю. Я уже отказалась от квартиры, которую снимала последние несколько лет. Надо заметить — весьма скромной. Нет-нет, все не так уж критично... Деньги еще есть. Правда, ими следует распоряжаться крайне осмотрительно.

Просто уровень разочарований не должен превышать критической отметки. Если это происходит, хочется бросить все. Именно так со мной и случилось. Увы, неудачная карьера спортсменки и модели — не единственное на сей день разочарование в моей жизни.

Однако странно ощущать себя человеком без квартиры. На некоторый промежуток времени, оставшийся до отъезда, я смогла примерить на себя это странное, несколько тоскливое ощущение «человека без дома». Теперь нельзя, расплатившись по счету, доехать до знакомой станции метро, пройти мимо булочной, войти в знакомый четырехугольник двора, подняться по лестнице...

Я прожила в этом городе несколько лет, я привыкла, что здесь мой дом. И сейчас я чувствую себя человеком, которому сообщили пренеприятное известие: под ногами у него пустота. То, что он считал надежным полом, на самом деле тонкий лист картона.

Можно утешаться лишь тем, что это обычное для современного человека состояние. Он вечно пребывает «в точке между катастрофой и возрождением», чувствуя под ногами холодок пустоты. Не от того ли так много ее, этой пустоты, в современной живописи? Художники Возрождения открыли перспективу, но они не только потому любили рисовать пол — непременный мраморный пол в клетку. Просто он очень надежный, и люди того времени стояли на нем крепко и уверенно.

Шесть лет на монмартрской улице... Вообще-то я родилась в СССР.

* * *

Серый, похожий на сумерки день с накрапывающим дождиком. Позади многочасовая дорога, паркинги, две границы.

Эту равнину в прежние времена называли «немецкой песочницей».

Когда наконец вдали показались красные башни Тальборга... «Странное предчувствие охватило меня», — следовало бы тут сказать. Но, увы, никакое предчувствие меня не охватило. Мне даже почудилось что-то вроде привета. Чем-то домашним и уютным посреди мокрого серого дня повеяло от красных черепичных крыш.

Увы, у меня есть одно не слишком приятное жизненное наблюдение — было бы неплохо, если бы сейчас оно не подтвердилось, — накануне по-настоящему больших неприятностей как раз ничего и не предчувствуешь. Настоящие неприятности не сваливаются, они наползают. Быстро и незаметно, как туман. Кажется, совсем недавно я сидела в кафе — стол, чашка... и *Он*. И вот уже вокруг только клубы серого холодного воздуха, который спешит поглотить все: и круглый маленький столик кафе, и чашку, и мужчину, сидевшего рядом.

Точно так же бывает и со сменой жизненного расклада. Вроде бы только что меня любили, приглашали, мне платили, звонили, со мной дружили — и вот уже ничего. Просто серая, похожая на сумерки непроглядность.

Однако впереди — там, где красные крыши, — у меня есть дом. Дом, в котором я никогда прежде не жила и даже не предполагала никогда жить. Но все равно это теперь мой дом. И у меня есть ключи, которые еще в Париже передал мне адвокат.

Дом этот завещала мне госпожа Мари Бернстейн. Кстати, дама, которая не одобряла девушек, сидящих «нога на ногу».

Наследство пришло внезапно. Письмо весьма солидной нотариальной конторы известило меня, что мне следует оформить все необходимые для его получения документы.

Разумеется, я сразу решила продать эту недвижимость. Однако Тальборг, как мне удалось выяснить, — крошечный городок. Он живет только туристами, приезжающими посмотреть тамошний замок. И то в основном лишь в сезон. Там нет работы и для немногих старожилов, не говоря уж о приезжих. Словом, мне пришло в голову, что унаследованный мной дом вряд ли многого стоит. Что стоит недвижимость в городке, где нельзя найти работу?

В общем, я решила не торопиться с продажей завещанного мне дома. К тому же мне надо было остановиться. Не в буквальном, а в переносном, в главном смысле этого слова. Мне надо было пожить где-то в тишине и покое, подумать. Спокойно, не торопясь. Кроме того, собственное жилье (аренда квартиры в модном большом городе — это же бешеные деньги) существенно сокращало мои расходы. И я решила пожить какое-то время в этом Тальборге, в доме, который мне достался образом столь странным и неожиданным...

Кто такая госпожа Мари Бернстейн? И почему она оставила мне наследство?

Ох, это целая история!

Можно сказать, Мари Бернстейн мне почти никто. Не тетушка, не бабушка... Маша Бернстейн — мамина подруга по институту. Во времена общего социалистического лагеря и дружбы между народами Мария училась в Москве. Девушка с фамилией зубного врача приехала на учебу из социалистической Польши в братский Советский Союз.

Мари дружила с моей матерью... И, говорят, была влюблена в моего отца. Вот и все. Вот такая «родственная» связь.

Надо пояснить, что моя мама родила меня будучи студенткой. Стремительный роман... Замечательная, но очень короткая студенческая любовь. Хотя злые языки говорят, что это вообще была «американка». Ну, молодые и красивые пили в студенческом общежитии портвейн «Агдам» и поспорили на «американку»: проигравший выполняет любое желание. Мама проиграла папе. Наверное, она была не очень серьезной девушкой. Ну, и вообще: в СССР секса не было, но были общежития и портвейн.

Лично я теперь семь раз дую на молоко, прежде чем спорить с мужчиной. Не говоря уж обо всем остальном.

Все трое — Мари, мой отец и моя мама — учились в инженерно-строительном институте. Но папа его не закончил. Он погиб, как и полагается такому типу бесшабашных сердцеедов, молодым и красивым, не вписавшись на мотоцикле в поворот.

И мама тот институт не закончила. Она была наказана за свое легкомыслие вдвойне — мамочка родила близнецов. Какие уж тут зачеты и экзамены... Даже имена для нас с сестрой были выбраны ею для удобства и экономии времени — Эмма и Элла. Студентка мать-одиночка с двумя детьми! Некогда в туалет сходить. Пока обеих дозовешься, молоко убежит. А так стоит открыть рот и произнести: «Э-э...», и обе девочки тут как тут — откликаются на зов!

В общем, закончила тот инженерно-строительный институт только прилежная и «благочестивая» Мария. Она защитила диплом по теме «Реставрационные работы» и уехала к себе в социалистическую Польшу, в свой маленький, но очень исторический город Тальборг.

Но до своего отъезда Мари жила вместе с нами. С мамой они были лучшими подругами. Да и потом Мари часто нас навещала. С той поры я неплохо знаю польский. Недаром считается, что наиболее благоприятный период для изучения иностранных языков — детство.

Как это часто бывает с неразлучными подругами, Мари с моей мамой были влюблены в одного мужчину. То есть в моего папу. Более того, и Мари, и моя мама влюблены были в него по уши. И хотя Мари всю жизнь сочувствовала маме из-за ее «необдуманного легкомысленного поступка», закончившегося рождением внебрачных двойняшек, у меня есть подозрение: втайне Мари всю жизнь жалела, что не поторопилась и не согрешила первой — не опередила маму в совершении этого «необдуманного легкомысленного поступка». Во всяком случае, так считала моя мама.

— Мари вас очень любит! Очень! — говорила она нам с сестрой в детстве.

Детям вопрос: «Почему их любят?» — Не приходит в голову — они уверены, что все просто обязаны их любить. Но позже, став взрослее, я его задавала.

И получила ответ. Точнее, успела получить его от мамы. Пока она была еще жива.

— Вы так на него похожи! — сказала она.

Я была «его дочерью», «его ребенком», вот в чем дело. По словам мамы, мы с сестрой как две капли воды были похожи на своего отца. Мария, однажды влюбившись, по всей видимости, любила этого давно умершего человека, моего непутевого отца, всю свою жизнь. О глубине чувств Мари Бернстейн и свидетельствовал, надо полагать, конверт, извещавший меня о наследстве. Она оставила мне, его дочери, все, чем владела при жизни.

Все — это дом в маленьком городке Тальборг. На территории бывшей Восточной Пруссии.

Честно говоря, я плохо помню Марию. Запомнила лишь ее отчего-то всегда холодные руки и смешной хохолок на макушке, какой бывает у женщин, которые на ночь накручивают волосы на бигуди. Ну и еще «катастрофу» в ее глазах, когда ее взгляд падал на наши с сестрой детские сандалии. Не поставленные носок к носку, как, по мнению Мари, следовало бы, а брошенные как попало посреди комнаты.

Но мне Мари все равно нравилась. А вот моя сестра, припоминаю, ее побаивалась и недолюбливала. Наверное, из-за вечного стремления польки приучить детей к порядку, к тем самым сандалиям «носок в носок».

А я нет. Я нисколько Мари не боялась. Я ее любила...

До захода солнца еще оставалось время, вполне возможно, что его хватило бы, чтобы успеть добраться до улицы Свентого Духа, где и располагалась моя недвижимость. Но я решила остановиться в придорожной гостинице, немного не доезжая до Тальборга. Решила, что будет лучше, если я увижу этот дом утром. Входить в чужой дом, на ночь глядя? Пусть даже он и принадлежит теперь мне...

В общем, я предпочла мотель. Новенький, с иголочки, сверкающий суперпродвинутой сантехникой, довольно безликий, но с хорошими картинками на стенах. Для меня это всегда знак, что в отеле можно остановиться. Репродукциями на стенах тут были представлены Климт и Кандинский. Собственно, музыка и картины — вот и все, что нужно, на мой взгляд, знать о вкусе человека или об отеле, чтобы составить о них почти исчерпывающее представление.

Глава 2

Возможно, это и самообольщение, однако мне кажется, я умею ловить намеки, знаки...

В тот момент, когда я в поисках улицы Свентого Духа выехала на мост, вода в реке, огибающей замок Тальборг, переменила цвет. Из-за истончившегося перламутрового края тучи пробилось солнце, и свинцово-серая, медленная, похожая на стекло вода стала ярко-голубой. Красноватое отражение стен замка, возвышающегося на противоположном берегу, плавало в ней вместе с первыми осенними листьями, там и сям яркими пятнами горевшими на воде. Они еще только слетели вниз со своих вершин. Августовские предвестники той самой роскошной поры осени, когда при ярко-голубом небе все деревья — золото и багрянец.

Я повернула за туристическим автобусом и сверилась с картой — мне вдруг показалось, что я немного заплутала. Неужели дом — теперь уже мой — находится чуть ли не прямо под стенами замка?

Но оказалось все верно: улица Свентого Духа вытянулась вдоль линии крепостных стен. Справа Тальборгский замок, слева река.

Что ж, по крайней мере, место, где мне предстоит жить, очень красиво. А ведь это немаловажно... Да что там говорить, очень даже важно! Важнее многого другого. Впрочем, теперь у меня будет время поразмышлять о том, как влияет красота или уродливость окружающего пейзажа на характер человека и его самоощущение. Хотя, возможно, конечно, эти мои соображения просто вбитый психологами навык искать плюсы в любой, даже и не очень завидной ситуации.

Я остановила машину возле дома семь и, прежде чем войти, решила «перекурить» — немного оглядеться.

Улица Свентого Духа, это несколько старинных чудесного вида домов, практически слившихся в одну линию. Обычная схема средневековой застройки.

У «моего» дома общая стена с домом номер шесть. Два старинных, с островерхими крышами, строения, экономя пространство и тепло, прижались друг к другу. В путеводителях такие дома называют «два брата». Но мне они всегда кажутся иллюстрацией к утверждению о том, что «пара влюбленных на небе становится одним ангелом».

Еще один знак показался мне обнадеживающим, когда я наконец-то переступила порог дома, завещанного мне Марией Бернстейн: когда я вошла в дом и открыла сумку, оттуда вылетел мотылек.

Это было очень неожиданно, красиво и... очень приятно. Очевидно, этот с пепельно-бархатными, нежно поблескивающими пыльцой крыльями моты- лек залетел в сумку где-то по дороге. Может, еще где-то в Германии, на паркинге, когда я пила кофе за столиком кафе, примостившегося между автоба- ном и августовским, прохладным уже лесом. Впорх- нул в мою сумку и заснул там. А теперь пригретый — температура тридцать шесть и шесть, я ведь прижи- мала сумку к боку, держа ее под мышкой — очнулся ото сна.

Вообще-то бабочек сейчас дарят на свадьбы и дни рождения. Продавцы бабочек упаковывают их в красивые коробки, а потом подарок согревают фе- ном, и бабочки в нужный момент просыпаются от теплого воздуха и начинают порхать. А тут бесплат- но...

Это было похоже на подарок. Во всяком случае, выходило, что в чужом и пустынном, но отныне принадлежащем мне доме я уже была не одна.

Мы переступили порог вместе.

Мотылек покружил по комнате и исчез. Все-таки лето уже перевалило свою макушку и устремилось к своему исходу, и, возможно, его интересовало место, где он смог бы снова заснуть. Да, осень близка...

Итак, я переступила порог и огляделась.

Мебель в полотняных чехлах, окутанная чем-то белым люстра. И по контрасту — занавешенное чер- ным платком зеркало. Оно напоминало о похоронах.

Первым делом я открыла зеркало. И стащила с люстры, висящей над круглым столом, белую ткань. В ответ хрустальные подвески мелодично зазвенели. Звук на мгновение наполнил комнату и тут же погас, растаял. Тишина дома, в котором «все умерли», была такая глубокая и полновесная, что она тут же поглотила робкую стеклянную мелодию.

А затем...

Нет, конечно, мне это лишь показалось! Как будто кто-то прикоснулся к клавише фортепьяно. Осторожно, вполсилы, и испугавшись полноты звука, нарушившего тишину, отдернул руку. Словно кто-то — может, за стеной? — откликнулся на мое появление. Впрочем, звук был так робок, краток и неотчетлив, что я, не дождавшись продолжения или повторения, решила, что он мне почудился.

И все же, прислушиваясь время от времени, продолжила осмотр дома...

Основа жизни — порядок в шкафу, так говорила когда-то нам с сестрой Мария. Она была убеждена, что в шкафу не должно быть тесноты, пространство его должно быть ясно, разумно; шкаф обязан быть просторен.

Таковы и были шкафы и комоды Марии Бернстейн.

Простыни лежали в комоде твердой мраморной стопкой — льняные, отглаженные, край в край. Венчала это произведение искусства сухая веточка лаванды.

В шкафах были аккуратно развешаны вещи Марии. Блузку в синий горошек я помнила с детства. Так же как польские слова и фразы. У таких людей, как Мария, вещи служат долго-долго. И они не спешат с ними расставаться. Так долго, что даже переживают своих хозяев.

Я вздохнула, освобождая место для своих вещей.

Одежду Марии я сложила в пакеты. Выбросить? Нет, в этом было бы какое-то недопустимое самовольство — рука не поднималась. Я пока чувствовала себя здесь, как в чужом доме, хозяйка которого куда-то отлучилась. Пусть вещи пока полежат в кладовке.

Дом оказался невелик. Если за стеной соседи, то, по сути, эти два дома — как один. Или как две квартиры с общей стеной.

Зато позади дома с той стороны, где тянется стена замка, я обнаружила небольшой садик (аккуратный газон и куст пионов!), очень меня обрадовавший. Даже если тебе принадлежит совсем крошечный клочок земли — с него можно увидеть сколько хочешь звезд.

Несколько квадратных метров травки и крыльцо. Кому площадка для барбекю, а кому для того, чтобы взглянуть перед сном на звезды.

Чуть в стороне некоторый намек на заборчик, разделяющий газон... В Европе если заборы и есть, то они скорее элемент декора, как гномики в саду. И по высоте, кстати, не превышают. А чаще заборов нет вообще. Вроде бы хочешь — ходи. Но никто не ходит. Такое уважение к private. К собственности то есть. К личному. Потому и заборы — так, одно название. Забавные, как гномики.

Перед сном я вышла на крыльцо. Но в соседнем дворике никого не увидела.

Воспользоваться кроватью и спальней Марии я не решилась. Предпочла застелить себе диван в гостиной. Устроившись на чужих подушках, я закрыла глаза...

И снова! Все-таки удивительно...

Нет, теперь я была уверена, что мне не почудилось: кто-то робко дотронулся до фортепьянной клавиши. Теперь я вполне отчетливо слышала этот звук.

Но в доме Марии я рояля при осмотре не обнаружила...

Значит, соседи — музыканты? Это, конечно, не слишком удобно.

Но может быть, это снова люстра? Зазвенела... от сквозняка...

Я встала, вернулась к порогу и прикрыла покрепче дверь. Я действительно оставила ее незапертой.

Однако интересно, кто же там, за стеной?

* * *

Утром я пила кофе, сидя на пригретых солнцем ступеньках своего нового дома. С солнцем — так же как и со звездами. Сколько хочешь будет солнца, даже если у тебя во владении всего четыре ступеньки и четыре квадратных метра газона.

Кофе я обнаружила в идеально прибранной кухне Марии. Я открывала одну за другой фарфоровые банки с притертыми крышками, с надписями «sugar», «tea» и так далее. Кофе оказался в банке с надписью «coffee».

Это очень похоже на Мари Бернстейн. Насколько я себе ее представляю. Сама я тоже отношусь к людям, у которых в банке с надписью, скажем, «tea» находится именно то, что написано. Но моя мама такой не была. У нее в ту банку вполне могла быть насыпана соль. Когда Мари этому удивлялась, мама говорила: мало ли что написано на заборе!

Дом Марии Бернстейн в идеальном порядке. Не только кухня. Даже пыли, удивительное дело, нет. Как будто аккуратная хозяйка только что вышла, прикрыв за собой дверь.

Надо заметить, Мари относилась при жизни к тем женщинам, которые всегда расставляют свои банки строго по полкам. Могу представить, как досадно таким умирать: как же, ведь они не могут вмешаться, если ребенок неправильно поставит сандалии! Может, и до сих пор — ха-ха! — она сама вытирает в доме пыль? Не в силах вынести беспорядка. Повторяю, есть женщины, для которых он хуже смерти, и они готовы вернуться даже с того света, чтобы бороться с ним.

Позавтракав, я отправилась знакомиться с городком. Народу на улице Свентого Духа, похоже, живет немного. Во всяком случае, возле ближайших к дому Марии соседних домов я пока никого не увидела.

Судя по карте, Тальборгов как бы два.

Один Тальборг — исторический. Это замок и несколько домов, к нему примыкающих. Остатки старого Тальборга. Их каким-то чудом не разрушило во время Второй мировой, во время которой очень пострадал и сам замок, воскресший, как я узнала из путеводителя, исключительно благодаря труду реставраторов.

И есть Тальборг новый, состоящий из четырех-этажных домов, отстроенных в послевоенные годы. Там супермаркет, кинотеатр. Это спальный, жилой Тальборг. Он на некотором расстоянии от замка. Очевидно, минут десять на машине.

Дом Мари находится в Тальборге «историческом». Он теснится к стене замка, словно прося у него покровительства. А сам замок возвышается (кстати, уже более семи веков) на высоком речном откосе высокомерно и горделиво. С сознанием своего величия — все-таки памятник архитектуры. Это изумительное «монументальное сооружение», как написано в путеводителе, занимает территорию более двадцати гектаров. Замков целых два: Нижний и Верхний, объединенных системой общих фортификаций, «поражающих толщиной могучих стен и разнообразием оборонительных сооружений». Такому размаху есть объяснение — несколько столетий Тальборг был столицей Тевтонского ордена. Главной резиденцией гроссмейстеров — великих магистров, высших сановников этой могущественной, вершившей судьбы Европы организации.

Под стеной замка несколько маленьких магазинов. И я не удержалась — зашла в тот, где в витрине были тесно выставлены отличные итальянские сумки. Свеженькие, писк сезона... И просто задешево, по смешной цене! Я долго рассматривала их и, конечно, решила не покупать. Зачем в этом городке сумка? Можно вообще разложить все необходимое по карманам куртки: ключи, телефон, платок, деньги. Да так и ходить, сунув руки в карманы. Классический образ безработного бездельника.

Отставив приглянувшуюся было мне сумочку, я направилась к выходу. Хозяйка магазинчика проводила меня вздохом, не нуждающимся в объяснении: привезла на продажу из Италии отличные сумки, а туристов, которые здесь главные покупатели, нет. Лето оказалось из рук вон: дождливым, а люди не любят путешествовать под дождем.

— Пани ничего не купит?

Я оглянулась, улыбнулась немного виновато. Покупатель, который ничего не купил, всегда чувствует себя чуть виноватым. Пожала плечами:

— Увы!

— Туристка?

Я покачала отрицательно головой. Пояснила:

— Собираюсь в Тальборге жить.

— Правда? — хозяйка улыбнулась.

— Дом Марии Бернстейн... Знаете?

Женщина кивнула молча. Улыбка на ее лице неожиданно погасла.

— Я получила его в наследство, — продолжила я разговор. — Кстати, вы не знаете, кто живет там по соседству, за стеной? Кто там соседи?

— Никто.

— Вы уверены?

— В чем сейчас можно быть уверенной? — Женщина еле заметно вздохнула. — Впрочем, посмотрите на Староместной улице. Там контора фирмы «Аренда и продажа», и в витрине выставлены объявления. Кажется, дом хотели продать... после гибели хозяйки.

— После гибели? Что это значит?

— Несчастный случай, — довольно сухо заметила хозяйка магазина.

Кажется, она уже ничего не хотела мне продать. И мне даже показалось, что тема разговора ей неприятна.

Я вышла из магазинчика. Двинулась дальше, разглядывая витрины. В Тальборге историческом только сувениры, игрушки, изделия из янтаря. Шоколад и кока-кола. К вечеру закроются и эти мелкие, по сути своей сувенирные, лавочки. К вечеру, когда разъезжаются туристы, а музей, размещенный в замке, закрывается, здесь, надо полагать, вообще совсем пустеет.

Закончив обход, я направилась к «своему» дому.

Похоже, за покупками придется ездить в Тальборг спальный. Кстати, на улице Свентого Духа я опять никого не увидела.

Вот и ответ на вопрос, что городок делает в плохую погоду. Спит! Как мой мотылек.

Надеюсь, все-таки я не на всю жизнь застряла на этой застывшей, как будто она накрыта стеклом музейной витрины, улице Свентого Духа. Поживу здесь какое-то время, подумаю, что делать дальше...

Я рассматриваю это время как некий зазор накануне нового витка жизни. А если будет скучно, буду читать детективы Хмелевской.

Глава 3

Конечно, нельзя познакомиться с Тальборгом, не увидев замка. Знакомство с ним я приберегла на следующий день. Но так случилось, что посещению замка помешало неожиданно открывшееся обстоятельство.

«Обстоятельство» выглядывало из зеленого почтового ящика, висящего у калитки, на который я просто не обращала внимания. И вот я наконец заметила, что из ящика выглядывает белый уголок.

Это был конверт. Без адреса и почтового штемпеля. Однако на нем было написано мое имя.

Я открыла конверт.

«Дорогая Эмма! С приездом в наш город! К сожалению, мы пока незнакомы. Но я столько слышала о вас от моей дорогой Мари. Она была моей самой лучшей, самой сокровенной подругой. Когда вы примете ее дар, приедете в Тальборг и переступите порог ее дома, тогда вы найдете мое письмо. И тогда первый визит в этом городе вы должны нанести пани Ванде Зборовской. Жду вас ежедневно к пятичасовому чаю. (Извините, что настаиваю на этом времени, но старушки дорожат такими мелочами, как распорядок дня!) И помните, у вас в Тальборге есть друзья, которые могут рассказать вам очень много интересного.

Ваш новый друг Ванда Зборовская».

По сути дела, это было приглашение. И я решила на него откликнуться. Тем более что делать мне было нечего. А первые шаги по городу, где мне предстояло жить, лучше совершать под руководством нового друга.

Кстати, может быть, пыль в доме вытирала эта самая подруга? Ведь кто-то же надел — после смерти Марии — на мебель чехлы, закрыл люстру, занавесил черным зеркало... Конечно, это сделала ее лучшая подруга. Она, пани Зборовская. А потом она, верно, приходила сюда и проверяла, все ли в доме в порядке. И вытирала пыль.

Почему только она не оставила свое письмо в доме? Например, на столе под люстрой. Это надежнее, чем почтовый ящик, висящий на улице.

Я повертела письмо в руках, конверт пролежал в почтовом ящике не слишком долго. Он не отсырел от ночной росы, бумага не пожелтела. Хотя на самом почтовом ящике висела паутинка...

Между тем номер телефона, указанный в письме Ванды Зборовской, не отвечал.

Я развернула карту Тальборга, купленную в магазинчике сувениров, и нашла на ней улицу, где она живет. Оказалось, это в новом Тальборге. Что ж, заодно можно будет сделать необходимые покупки.

И я решила навестить пани Ванду не откладывая, в этот же день. И чтобы успеть к назначенному для посещения моим новым другом времени, в пятом часу вечера я вышла из дома.

Малоприятный звук сирены встретил меня на подходе к улице, на которой, судя по указанному адресу, проживала пани Зборовская. Ох, не люблю я сирены... Звук несчастья, звук беды... Вслед за тем навстречу мне пронеслись «Скорая помощь» и машина полиции.

Дверь в квартире пани Зборовской была распахнута настежь. И около этой открытой двери толпились растерянные заплаканные старушки. Прикладывая к глазам промокшие носовые платки, они почти синхронно качали головами, повторяя: «Матка Боска Ченстохова!»

— Могу я видеть пани Зборовскую? — начала я.

— Какое несчастье! — всхлипнула в ответ одна из этих старых дам.

— Что-то случилось?

— Вы когда-нибудь видели такое?

— Что именно?

— Ванда упала сегодня из окна!

— Как?!

— Невозможно в это поверить, дорогая пани... Ведь она моет окна почти каждую неделю!

— Что?

— И вдруг сегодня — такая неосторожность! Сам пан начальник полиции до сих пор здесь...

Поразительно, сколько же на свете способов умереть — к тому же скоропостижно! — о которых даже и понятия не имеешь. Вот такой печальный получился визит.

Это было и печально, и... досадно одновременно. Единственный человек, который мог бы познакомить меня с городом, друг, который мог бы «рассказать очень много интересного»... И неожиданная смерть по собственной неосторожности!

Увы, выходит, теперь в этом городе у меня нет друзей. Мне придется самой позаботиться, чтобы они у меня появились.

Мой визит оказался явно не слишком уместным. И я растерянно попрощалась с соседками Ванды. Кстати, сквозь открытую дверь ее квартиры я действительно увидела мундир полицейского.

* * *

Звучит, наверное, ужасно, но... зато я успела в замок. Правда, касса уже закрывалась, но я все-таки успела купить билет.

Когда я подошла, пани кассир что-то читала.

— Посетителей в замке уже нет, — недовольно заметила она.

— Я ненадолго.

Женщина несколько осуждающе на меня посмотрела, добавила ворчливо:

— Сезон дождливый, туристов почти нет... Ваше счастье, что я еще на месте. Не задерживайтесь!

Я кивнула, мельком взглянув на расписание, висящее рядом с окошком кассы. Мне показалось, что пани преувеличивает и в запасе у меня есть еще часа полтора.

В том, что замок Тальборг — это «колоссальное сооружение и огромная территория», я убедилась довольно скоро. Я устала, осматривая только Нижний. А при попытке обойти Верхний заблудилась.

Пробродив какое-то время среди каменных надгробий с полустершимися надписями, я остановилась под высоким деревом. Это была невероятно огромная лиственница. К счастью, это огромное, старое, с темным сероватым стволом и прядями золотистой хвои дерево было отмечено на схеме замка как «памятник природы». Что и позволило мне сориентироваться на местности. Рядом, как я выяснила из того же путеводителя, находилась «могильная часовня» — усыпальница гроссмейстеров ордена, его великих магистров. А каменные надгробия, среди которых я плутала, оказались рыцарским кладбищем.

Поскольку уже смеркалось, я поспешила покинуть это место. Находиться к ночи ближе на кладбище как-то не хочется, даже если кладбище и превратилось в музей. К тому же мне показалось, что я услышала — ну, почудилось, конечно! — чей-то вздох.

Сориентировавшись по карте, я прибавила шагу и вернулась обратно в Нижний замок. По дороге увидела табличку «Офис музея», но его двери были уже заперты.

Наконец передо мной снова оказалось открытое пространство четырехугольного двора Нижнего замка. Я уже проходила здесь и запомнила это место по бронзовому монументу. Памятник увековечил высших сановников Тевтонского ордена, его великих магистров. Самых славных, достойных, знаменитых, мудрых и храбрых, прославившихся своими делами на благо замка и ордена.

Отсюда недалеко уже было до главных ворот и кассы, а там уж и рукой подать до моей улицы Свентого Духа. И, решив немного отдохнуть, я присела на скамью рядом с памятником. Изваянные из бронзы магистры стояли не на постаменте, как, наверное, в прежние времена, а прямо на травке газона, посреди вымощенного булыжником двора Нижнего замка. Вровень со мной, простой смертной, моделькой средней руки, увековечившей себя лишь на этикетках дезодоранта «Стрела», известного своим неотразимым «тонким запахом свежести».

Вокруг было странно пусто. Но я так устала, что отчего-то не придала этому обстоятельству никакого значения. Осененная листвой дуба-патриарха, как было сказано в путеводителе — ого, надо мной, между прочим, шелестели столетия! — я довольно рассеянно и устало разглядывала бронзовые фигуры четырех увековечивших себя славными свершениями магистров.

Как принято писать в романах, смеркалось. У ног гроссмейстеров лежали длинные бархатно-сиреневые тени. Я смотрела на их горделивые тевтонские профили. До тех пор... пока среди четырех фигур не появилась пятая. Эффект, известный со школьной поры, когда дети играют в «гляделки» и до упора пялятся в одну точку!

Это был высокий человек лет тридцати пяти. Отнюдь не бронзовый. В простом сером плаще, на мой взгляд, нуждавшемся уже в химчистке.

Он возник так неожиданно, что я невольно вздрогнула.

До меня донеслась фраза, которую он произнес при своем появлении и смысл которой не поняла, угадав только язык — немецкий. Я отрицательно покачала головой.

— English? — Незнакомец присел рядом на скамью. Продолжил перебирать варианты: — Francais? Я кивнула.

Помнится, уже тогда, поймав самый первый, краткий взгляд мужчины, я подумала, что в нем есть что-то странное. Впрочем ощущение было слишком неуловимым. А в общем, он показался мне тогда просто несколько утомленным. Жесткий рисунок лица, «готический» разрез глаз, очень бледное лицо, отсутствующий взгляд... Пожалуй, он был похож на уставшего клерка.

Во всех больших и прекрасных городах нашего континента они, эти засидевшиеся возле компьютеров пленники офисов, возвращаются запоздно домой. Бредут в темноте и бархате сумерек в смятой рубашке и с каким-нибудь портфельчиком и прихваченными — мол, дома еще посмотрю — бумагами. Они смотрят на освещенные террасы ресторанов, нарядных к вечеру проходящих мимо женщин. И сладостно мягкие летние сумерки, перемешанные с духами, с обрывками музыки и запахами вкусной еды, вытесняют понемногу из их сердца скуку и усталость.

И в какой-то момент они оживают. Именно в этот момент они хотят выбросить навсегда ненавистный галстук и отфутболить, как после шестого урока в школе, портфель. И если в этот момент их взгляд падает на женщину — в сладостно мягкие летние сумерки, если пропустить рюмочку, все женщины красивы, — то тогда они говорят что-нибудь вроде французского:

— Ca va!

Именно так происходят городские романы.

Мне всегда было немного жаль, что ни разу в жизни я так и не решилась (очевидно, мы с Мари, упустившей свой шанс с моим отцом, схожи в этой ханжеской трусливости) ответить на это «ca va!». Хотя бы замедлить шаг, улыбнуться...

— Разве вы не знаете, что с понедельника замок закрывается в семь? — прервал между тем мои раздумья незнакомец. Задавая этот вопрос, он рассеянно глядел перед собою, на синие вечерние тени, лежащие рядом с бронзовыми фигурами гроссмейстеров. Отнюдь не на меня.

— Правда?

Я растерянно взглянула на часы. Было уже почти восемь. Только теперь до меня наконец дошло, почему вокруг так пусто.

— В семь! — повторил он.

— Значит, — заволновалась я, — ворота уже закрыты?

— Именно так!

— Но...

— Вам придется ждать сторожа!

— Но сторож, конечно, придет?

— Не знаю, что лучше.

— То есть?

— Лучше, чтобы пришел, или лучше, чтобы не пришел.

— Не очень понятно, — удивилась я.

— Поймете, когда увидите.

— А если сторож не придет, мне придется провести ночку с ними? — я кивнула в сторону бронзовых гроссмейстеров.

— Провести ночку? — Теперь он посмотрел на меня с недоумением, словно всерьез обдумывал мое предположение, не слишком приличный, игривый вариант этой фразы.

Увы, я не настолько знаю французский, чтобы

передавать слишком тонкие языковые нюансы. Наверное, я что-то не так сказала и поэтому на всякий
случай объяснила:

— Я пошутила.

— Шутка? — Очевидно, он все-таки меня не понял.

Чтобы сменить тему, я дотронулась, чтобы отрях-
нуть, до его рукава: красноватая кирпичная пыль на
его плаще не давала мне покоя.

— Вы где-то испачкались!

Вместо благодарности он чуть отодвинулся.

— Вам просто повезло, что я еще здесь, — недо-
вольным тоном произнес он.

— Повезло?

— Будь вы здесь одна... — Он замолк.

— Да?

— В общем, я боюсь, как бы вы не заблудились.

— Уже плутала!

— Сейчас мы с вами выйдем отсюда...

— Но как?

— Через служебный ход! — словно приняв наконец какое-то решение, произнес он.

— Но кто вы?

Мы беседовали уже минут пятнадцать, и я решила, что могу наконец задать этот простой вопрос.

— Извините, не представился... Жан Ле Мур,
консультант Всемирной организации памятников.

— Лемур?

— Ле Мур! — поправил он меня, отделяя частицу
«ле».

— Значит, вы задержались на работе? — уточнила я.

В ответ, мне показалось, я услышала вздох.

— Можно сказать и так... Задержался. В каком-то смысле...

— В каком?

— Я ученый... Тема моей диссертации «Завоевание прусской области тевтонами». — Он немного полуобернулся ко мне: — Видите ли, меня интересует процветание орденских земель, военное могущество и...

— Понятно! Увлеклись и засиделись допоздна, — прервала я его. По правде сказать, судьба Тевтонского ордена не слишком меня волновала.

Кажется, он догадался, что я не лучший собеседник.

— Идемте! — Он встал со скамьи.

Мы снова пересекли мощенный булыжником двор Нижнего замка. Миновали мост, прошли через ворота Верхнего замка. И оказались в одном из самых романтических мест на земном шаре... Пространство двора Верхнего замка, задуманное, очевидно, как монастырский сад, было замкнуто со всех четырех сторон. Его опоясывали галереи с ажурными, каменной резьбы, стрельчатыми окнами.

Посредине двора под черепичной крышей расположился дивной красоты колодец, увенчанный фигурой пеликана.

— Как красиво! — не удержавшись, воскликнула я в восторге.

— Красиво? Эти галереи — место для размышлений! — заметил мой спутник, когда мы двинулись вперед по западной галерее. — Кроме того, отсюда открывается доступ во все помещения первого и второго яруса.

Итак, мы шли по галереям Верхнего замка вдоль череды дверей.

Тут следует обратить внимание на одно обстоятельство. Когда мы проходили мимо каких-то очередных дверей, мне показалось... В общем, прямо за моей спиной кто-то обронил монету.

Звон монеты хорошо слышен в гулких каменных сводах. Я оглянулась, подумав: кто еще задержался в замке? Но я никого не увидела.

— Слышали? — спросила я своего нового знакомого.

— О чем это вы?

— Кто-то обронил монету...

— Вам, верно, показалось.

— Ничего мне не показалось!

— Конечно, не показалось, а послышалось! — И, не удостоив меня продолжением диалога, мой спутник двинулся вперед.

— Но я точно слышала! — уверенно повторила я, не двигаясь с места.

— Ну, так поищите... — усмехнулся он, останавливаясь. — Вас, кажется, не переспоришь!

Что делать, он подметил верно — я довольно упряма. В общем, я вернулась на несколько шагов назад...

Нет, монеты я не нашла.

— А там что? — я кивнула на запертые окованные железом двери, возле которых, как мне показалось, и был слышен звон монет.

Месье Ле Мур либо не услышал моего вопроса, либо не обратил на него внимания.

— Поторапливайтесь! — не слишком вежливо окликнул меня мой новый знакомый. — Если не хотите, конечно, плутать в темноте.

Он открыл какую-то дверь, и по винтовой лестнице мы стали спускаться вниз. Между прочим, я насчитала пятьдесят четыре ступени.

А далее по глубокому рву, к счастью, сухому, который, насколько я поняла, опоясывает стены Верхнего замка, мы двинулись куда-то вправо. Окончательно устав, я отмечала взглядом бесконечные стены, ворота, решетки, рвы...

Запомнила я немногое. Обратила лишь внимание на остатки огромного мельничного колеса, мимо которого мы проходили.

— Осторожно! Здесь лестница, — предупредил мой проводник.

Я и правда чуть не споткнулась на довольно крутых ступенях.

Такой момент — он вполне мог бы поддержать меня под руку. Но он этого не сделал. На мгновение я было остановилась в нерешительности. А месье Ле Мур двинулся вперед.

Что было делать? Я отважно — впрочем, выбора у меня не было — последовала за своим провожатым. А далее по не слишком приметной с первого взгляда, но, очевидно, хорошо известной ему лестнице, прятавшейся в зарослях плюща, мы опять стали спускаться куда-то вниз.

— Что это вообще такое? — всерьез заинтересовалась я, когда мы стали углубляться в какой-то жутковатый, с узкими проходами, каменный лабиринт.

— Наклоните голову, — вместо ответа приказал мне мой провожатый.

Впереди действительно был низкий каменный свод. Я пригнула голову и стала пробираться вперед за ним следом.

— Неужели этот ход и в самом деле служебный? — И я попыталась представить себе служащих, пользующихся этим странным лабиринтом.

— Когда-то это был потайной ход, ведущий из крепости к реке, — не слишком охотно пояснил мужчина.

— Ах, вот оно что...

— Ну а теперь служебный. Им пользуются, чтобы... э... сократить время на дорогу из замка в город. Или наоборот...

— Значит, он для сотрудников замка?

— Можно и так сказать! — Мой спутник вздохнул.

Еще несколько шагов, и впереди стало светлее.

Месье Ле Мур повернул в замочной скважине огромный ключ, отворяя железную решетку в стене. И мы оказались на свету.

— Уфф... — с облегчением вздохнула я и стала отряхиваться. Поскольку теперь и я была покрыта красноватой кирпичной пылью Тальборгского замка. Потом я заглянула в путеводитель и прочитала на плане: «Оборонительная стена, идущая вдоль береговой линии...»

Очевидно, мы оказались на Тальборгском бродвее. По усыпанной речным песком дорожке между рекой и стеной замка прогуливались мамы с колясками, бегали дети и, обнявшись, брели влюбленные пары. Могли влиться в этот нарядный беспечный поток и мы.... Был чудесный, теплый, еще по-летнему светлый вечер. Под могучей стеной замка притулились столики кафе.

Но мой спутник вдруг замедлил шаг. В общем, у него был такой вид, как будто он сейчас снова исчезнет, снова скроется в своем подземном «служебном

ходе». И я вдруг заволновалась. Как-то так получилось... в общем, я почувствовала, что мне совсем не
хочется с ним расставаться! Эта прогулка по «слу-
жебному ходу»: общее дыхание, невольные прикосновения в тесноте темного каменного коридора.
В общем, это было совсем на меня не похоже, но я
его остановила.

— Послушайте... Может быть, мы немного посидим? — я кивнула на столики кафе, примостившиеся
под стеной замка.

— Посидим? — Он смотрел на меня так, словно я
опять неудачно пошутила.

— Тут хорошие пирожные. Я уже пробовала...

— Вы хотите есть?

— Нет...

— Пить?

— Нет! То есть...

— То есть?

— Понимаете, я тут, в городе, недавно... Никого
не знаю. Так вышло, что я получила неожиданное
наследство. Понимаете? Старый дом. Здесь неподо-
леку, на улице Свентого Духа. Это сразу за крепостной стеной, может быть, знаете? Дом семь... — Я говорила как-то чересчур поспешно и радостно.

Что подумал он, я не знаю... Но, продолжая идти
рядом, взглянул на меня, как мне показалось, с некоторым интересом.

— Вы здесь надолго?

— Пока не знаю, — вздохнула я.

— Чем собираетесь заниматься?

Я пожала плечами.

— Но кто вы?

Я покачала головой:

— Никто!

— Забавно! — Он усмехнулся.

— Что именно?

— Забавное совпадение.

— Что вы имеете в виду?

— Нет... Неважно! — Он снова усмехнулся. — Однако кто же вы по профессии?

Мой ответ был столь же красноречив: я отрицательно покачала головой.

Конечно, это было не совсем правдой. Кое-что я все-таки умею. Но упоминать о моем умении — стрельбе из лука — показалось мне смешным.

— Случай непростой. Но все-таки... в отсутствие профессии, что-то же вы умеете делать? Читать, писать? Надеюсь, с этим все в порядке?

— О, да... По-французски и даже по-польски...

— Ну а э-э... компьютер?

— Я пользуюсь ноутбуком.

— Это кое-что... Вы не поверите, но есть одна... работенка!

— Работенка?

Он был прав насчет «не поверите». Я взглянула на него с подозрением. Именно в таких выражениях — «работенка»! — и предлагают обычно безработным в фильмах про гангстеров что-нибудь ограбить. «Кокнуть», «грохнуть», «наколоть». Тем более что — в надвигающихся сумерках — мы находились рядом с одним из самых богатых экспонатами музеев Европы.

— Нет-нет... — Он понял мой взгляд и опять усмехнулся: — Мы не пойдем взламывать музейные витрины. Работа вполне законная и при этом совсем несложная...

— Без пыли и шума?

— Как вы сказали?

— Я хочу сказать, непыльная работенка?

— Нет, пыли там как раз много! — Кажется, он опять понял мою шутку слишком прямолинейно.

— Непыльная — это значит не надорвешься, — на всякий случай пояснила я и вздохнула: — Вы серьезно предлагаете мне работу?

— Абсолютно. И соглашайтесь, в этом городишке вам никто больше ничего не предложит.

— Пожалуй, я должна подумать...

— Если решитесь... — Он о чем-то задумался, глядя на синие тени от стен замка. Четырехгранные силуэты его башен грозно и массивно вырисовывались на фоне гаснущего вечернего неба, почти теряясь в низких облаках.

— Да?

— Приходите завтра в замок и спросите пани Элжбету... И не забудьте: музей работает до семи!

И он еще раз, прежде чем уйти, пристально на меня взглянул.

Вернувшись домой, я еще долго, допоздна, сидела на пороге. Смотрела то на звезды ясной прохладной ночи, то на фиалки. Украшение четырех метров моего газона — лужайка ночных фиалок... размером с большую дамскую шляпу. Днем, при солнце, фиалки почти не видны. Но ночью, когда я перед сном вышла подышать, они вдруг всплыли облачком среди травы, раскрылись. Ярко-голубое, немного даже светящееся в сумерках небольшое облако, словно повисшее над травой. Безумный аромат...

Кстати, на пороге соседней квартиры никто так и

не появился. Ни утром, ни днем, ни вечером. Дверь там так, кажется, ни разу и не открывалась.

Впрочем, занятая своими новыми ощущениями, я почти не обратила на это внимания. Мне кажется, я соглашусь на предложение месье Ле Мура. На эту столь неожиданно предложенную мне работу. И я даже догадываюсь почему...

У него бледные от усталости веки. Серый вечного фасона плащ, в котором он похож на жука, распахнувшего крылья. Кстати, покрой снова моден в этом сезоне. Я видела такой плащ перед отъездом из Парижа в магазинчике на улице Риволи.

И у него очень пристальный, с непонятной глубиной взгляд.

Ночью я проснулась от звука... си-бемоль!

А что, если, спросонок подумала я, это мой мотылек вылетел на ночную прогулку и задел хрустальные подвески люстры своим слабым перламутровым крылом? А мне — метаморфоза сна! — снится, будто кто-то прикоснулся к клавише фортепьяно...

Глава 4

На следующий день я еще раздумывала. Но когда до закрытия музея осталось немногим более часа, заторопилась. В шесть я была уже в замке.

Пани Элжбета, менеджер по кадрам, миниатюрная худощавая, с короткой стрижечкой и ясными серо-голубыми глазами (дама в активном пенсионном возрасте), встретила меня очень доброжелательно.

— Знаете, где вам придется работать?

— Нет...

— Довольно высоко!

— Правда?

— В Угловой башне! Идемте, я познакомлю вас с рабочим местом. Угловая башня находится в Верхнем замке.

Она закрыла дверь своего кабинета, и мы отправились в путь.

— Вы вообще что-нибудь знаете об основателях нашего замка?

— Рыцарях Тевтонского ордена? Увы!

Пани Элжбета поправила прическу и заговорила тоном экскурсовода:

— Один набожный немец построил в Иерусалиме больницу для своих земляков. И пошло-поехало... Вскоре скромные больничные служители уже берутся за оружие и довольно быстро превращаются в военный орден, Тевтонский... Они быстро богатеют, обгоняя старших братьев храмовников. И вот уже рыцари сражаются не на берегах Иордана с сарацинами, одетыми в белую шерсть, а на берегах Вислы — с населявшими эти земли пруссами, покрытыми звериными шкурами.

— Язычниками?

— О, да... Они обожествляли таинственные силы природы: пугающий гром, благодетельные воды источников, кормилицу-землю. И еще вековые деревья. Они считали их бессмертными!

— Интересно.

— Вначале Тальборг был лишь одной из пограничных крепостей орденского государства. Но с тринадцатого века, когда сюда переехала резиденция великих магистров ордена, началось время его расцвета.

— А пруссы? Что с ними стало?

— Исчезли. От них осталось только имя, которым стала называться эта земля. Пруссия!

Моя провожатая остановилась:

— Обратите внимание: между Нижним и Верхним замком очень сложная, в несколько линий, оборонительная система. Стены, двойные ворота, решетки, рвы, террасы...

— Я заметила.

— Нижний замок с Верхним соединяет широкий дубовый мост. Кстати, этот мост перекинут через ров, в котором никогда не было воды. Ров настолько глубок, что и так служил непреодолимым препятствием для нападающих.

На несколько минут мы задержались на мосту и двинулись дальше.

— Между прочим, в случае угрозы со стороны врага мост можно поднять, — все тем же тоном экскурсовода пояснила пани менеджер. — Разумеется, это уже лет пятьсот никому не приходило в голову. Впрочем, так же как закрывать или открывать решетку на воротах или сами ворота...

— Правда?

— Я не уверена, что кто-нибудь вообще в замке сейчас знает, как это делается. Помнится, хотели попробовать — для туристов, но вскоре отказались от этой затеи.

Мы миновали мост и прошли через очередные ворота.

— А это кухня, — продолжала свои объяснения пани Элжбета. — Обратите внимание на невероятно огромный дымоотводный колпак...

— Здорово! — Я мельком заглянула за дверь кухни.

— А здесь — большая трапезная. Заметьте, это самый просторный зал во всем замке. Замечательны пропорции этого огромного помещения. Свод покоится на трех стройных колоннах. Считается, что этот зал не имеет себе равных в Европе. Представьте, здесь пировали в Средневековье крестоносцы с рыцарями, прибывающими со всей Европы для участия в походах против Литвы.

— Набеги?

— Да, с немецкой пунктуальностью. Как только лед сковывал реки и болота, окружавшие Тальборг... Если хотите, можете ознакомиться: в музее висит «график». Зима одна тысяча триста... не помню, какого года, два «рейда», зима одна тысяча триста... опять не помню, один... Ну и так далее!

— Как интересно...

— Запоминайте расположение... Планировка замка довольно сложна, он многократно перестраивался, разрушался, восстанавливался... К тому же это огромная территория!

— Я уже убедилась... А что там? — я кивнула на запертые, окованные железом двери.

— Казна...

— Казна?

— Там когда-то размещалась казна ордена.

Это были те самые двери, возле которых я слышала — то есть мне показалось, что я слышала — звон монеты.

— В Нижнем замке находится администрация, офисы музея, — продолжала свои объяснения моя спутница. — Там вы можете подзаряжать ноутбук, обедать. Есть кафе. Но лучше все брать собой, если не хотите считать без конца ступени туда-обратно. Поскольку работа ваша временная, формальности соблюдать не будем...

Она остановилась.

— Пришли! — Она указал рукой куда-то вверх. — Угловая башня... Это там!

Я запрокинула голову.

— Так высоко?

— Я предупреждала.

— Ничего себе! Каких-нибудь сто пятьдесят ступенек, и ты на своем рабочем месте! — растерялась я. — Мы что же, туда полезем?

— Не мы... Вы!

— Вот как?

— Но не сейчас.

Я вздохнула с некоторым облегчением.

— Смеркается, а там нет электрического освещения, — пояснила моя провожатая. — Так что работать вам придется только при дневном свете. Зато зимой у вас будет самый короткий рабочий день в мире.

— Соблазнительные условия!

— Работа, кстати сказать, несложная. Будете сидеть там и набирать на компьютере записи старых инвентарных книг. Месье Жану нужна помощница.

Я снова с некоторой опаской взглянула на грозные очертания Угловой башни. Лестница уходила вверх. Вверх и вверх...

— Кому пришло в голову затаскивать эти книги на такую высоту? — поинтересовалась я.

— Некоторые периоды в истории замка — настоящий кавардак, — заметила моя спутница. — Возможно, это место сочли когда-то надежным убежищем для части архива. Жизнь этой земли — почти непрерывные войны. Сколько существует замок, столько его и разрушали. И столько же реставрировали. Возможно, это помещение просто уцелело в отличие от многих других, разрушенных во время очередной войны.

— Неужели инвентарные описи до сих пор не трогали?

— Руки не доходили, наверное. Вообще-то это все месье Жан затеял. Описи нужны ему для его научных исследований.

— Правда?

— Блестящий исследователь, достойнейший человек... А как красив! — Пани Элжбета мечтательно вздохнула. — Вы заметили, как он старомодно изящен?

— Да, порода чувствуется, — согласилась я.

— И вы недалеки от истины!

— В самом деле?

— По мне, так наш Жан как будто сошел со средневековой миниатюры братьев Лимбург! Ну, я имею в виду Часослов герцога Беррийского...

— Не очень представляю, о чем вы, — призналась я.

— Правда? — Ухоженные, выщипанные бровки пани менеджера неодобрительно приподнялись. — Непременно вас ознакомлю с этим выдающимся произведением искусства.

— Буду признательна. Кстати, вы не знаете, где он?

— Кто?

— Жан!

— Уехал в Париж. Признаться, дорогая, он не слишком часто нас навещает. — Пани Элжбета с заметной грустью вздохнула.

— Интересно, полчаса, которые я буду затрачивать на подъем и спуск по этой лестнице, входят в мое рабочее время? — деловито уточнила я, меняя тему.

— А вы, оказывается, довольно мелочны. — Менеджер по кадрам снисходительно улыбнулась. — Но так уж и быть!

— А сколько, кстати, я буду получать за свою работу?

Она назвала сумму моей зарплаты в злотых. Весьма скромную.

— Это в неделю? — бестактно уточнила я.

— В месяц!

Я вздохнула. Что ж... С такой работой я, конечно, не разбогатею. Но зато и не поправлюсь!

— Ключи будете забирать и оставлять у пани Ядвиги. Старые ключи от помещений, которыми давно не пользовались, хранятся у нее.

— А кто это, пани Ядвига?

— О-о! — Менеджер по кадрам хмыкнула. — В замке нет сейчас никого важнее этой пани.

— Правда?

— Пани Ядвига — жена господина директора музея.

— Вот как?

— Сам он сейчас в командировке.

— Что я должна сказать пани Ядвиге, когда приду за ключами?

— Разговаривать вам, скорее всего, особенно не придется. — Моя спутница снова как-то странно хмыкнула. — Хотя, конечно, можете попробовать.

* * *

Ночью я снова проснулась от звуков фортепьяно...

В конце концов я решила представиться сама. Так ведь полагается?

Нет, полагается, чтобы приличные соседи первыми навестили новосела. Но, увы, мои соседи, кажется, не спешили этого сделать. А я отчего-то не могла уже ждать.

Утром я оделась поприличней, как для визита. И направилась в гости. Проще было, конечно, перешагнуть символический заборчик. Но уважение к private! Не могла же я так низко пасть в глазах соседей... О, эти ужасные русские — им непременно надо колючей проволоки, чтобы они не нарушали священные границы собственности... В общем, я решила отправиться в гости через калитку.

Однако калитка была заперта. И напрасно я нажимала кнопку звонка. Напрасно. Мне никто не открыл. И это, на мой взгляд, по меньшей мере невежливо. Ведь в доме кто-то есть! Звуки фортепьяно, в этом у меня не было никаких сомнений, я слышу по ночам вполне отчетливо.

Надо сказать, эта музыка за стеной довольно необычна. Во всяком случае, она неизвестна мне и, кажется, ни на что не похожа. Я не узнаю ее, как ни стараюсь, прежде я никогда ее не слышала.

Это было, конечно, глупо. Но тем не менее я все-таки прошла по Староместной улице. В витрине фирмы «Аренда и продажа», расположенной между мясной лавкой и булочной, в рамочках висели «предложения». Краткое описание жилья, арендная плата за год. Предложений было много. Я пробежала их глазами: студии, апартаменты, коттеджи... Но предложения о квартире на улице Свентого Духа в доме № 6 я не обнаружила. Во всяком случае, в витрине выставлено оно не было. Наверное, та женщина, хозяйка магазина, все-таки ошиблась. То, что в маленьких городках все знают друг о друге всё, возможно, такой же миф, как и множество других мифов, которые люди создали о самих себе. Мой собственный опыт говорит о другом. Люди сейчас равнодушны, усталы и интересуются только собой. Где бы они ни жили, в большом городе или маленьком. Особенно если сумки, которые они привезли из Италии, так плохо продаются. Какая разница, где они живут?

Вот и хозяйка магазина, как выяснилось, не все знает про всех. Она ошиблась: предложения по аренде интересующей меня квартиры не было. Очевидно, уже не было. Значит, квартиру за моей стеной уже продали или сдали! Вот и объяснение для музыки.

Я не стала заходить в контору фирмы и уточнять, кому досталась квартира за моей стеной. Не хотелось обращать на себя внимание расспросами. Такое любопытство может выглядеть невежливым. Во всяком случае, оно явно неуместно в маленьком городке, где все знают друг о друге всё.

И к тому же подобный шаг равносилен признанию, что меня волнует то, что происходит за стеной. А ведь это не так! Меня совсем не волнует музицирование в якобы пустующей квартире. Нисколько. А то, что я прошла по Староместной мимо витрины фирмы «Аренда и продажа»... Просто гуляла!

* * *

Пани Ядвига сидит в кабинете с табличкой «Дирекция».

Вокруг в роскошном кабинете с дубовыми панелями в резных дубовых шкафах рядом с пани — книги, книги, книги. Правда, я застала ее не за чтением.

Я застала ее вооруженной зеркальцем и тюбиком губной помады.

— Кю-ючи? — растягивая верхнюю губу и проводя по ней помадой, переспросила она меня, когда я представилась и объяснила причину своего появления. И она скосила глаза на край огромного стола, где лежали несколько больших старинных ключей.

Я выбрала сразу правильно, и она кивнула. Затем снова занялась своими губами.

Пани была очень занята. И поскольку было ясно, что прерывать столь важное занятие для общения со мной она не намерена, взяв ключ, я пошла «на работу». Из Нижнего замка в Верхний, через хорошо уже известный мне широкий дубовый мост, их соединяющий. Перекинутый через ров, в котором, как я уже знала, никогда не было воды. Потому что ров такой глубокий, что и без воды он служил непреодолимым препятствием для желающих без приглашения попасть в Верхний замок. Или, напротив, без разрешения его покинуть.

Десять, двадцать, тридцать ступенек... Сто сорок четыре, сто сорок пять... Я поднимались в Угловую башню почти пятнадцать минут.

Небольшое помещение с двумя узкими, как бойницы, окнами — надо полагать, что они и были бойницами, — более всего походило на кладовку.

Ящики, ящики, груды книг... Какие-то безо всякого порядка расставленные вдоль стен предметы. Среди них я заметила даже доспехи и оружие: кирасу с продавленным боком и древко от алебарды, по всей видимости.

Я вытащила из пыльной груды толстую амбарную тетрадь. Это и была очередная инвентарная книга с описями.

В тесном помещении было душновато. И я поторопилась открыть окно. Нетрудно догадаться, что застекленные рамы появились здесь не в тринадцатом веке, а значительно позже. Надо полагать, во время очередной перестройки замка. Возможно, во времена императора Фридриха.

Окно открывалось.

О, это немецкое качество! Старинный латунный шпингалет скользнул из своего паза легко, без малейшего усилия. Точность, качество... Что один день, что сто лет, что двести — у них никогда не заклинивает. Старая добрая Европа.

Возможно, Угловая башня не самая высокая в замке. Но когда я посмотрела вниз в отворенное окно, у меня немного закружилась голова. Из «своего» окна я увидела красный кирпич крепостной стены и серую воду реки, несущую желтые листья.

Нашелся в башне и стул, и стол. Ноутбук был при мне. Не хватало метелки, чтобы хоть немного обмести здесь пыль. Инвентарные книги, как, впрочем, и все остальное в башне, были покрыты толстым слоем нетронутой пыли.

Я смахнула пыль носовым платком. И принялась за работу...

Надо было хоть немного разобраться в нагромождениях и залежах амбарных книг. Хотя бы определить фронт работ. Инвентарные книги частью были в ящиках, частью свалены просто так. Часть записей на немецком, много на польском.

Я прилежно трудилась почти до конца светового дня.

Наступила та довольно краткая, недолгая, светлая пауза между ночью и днем, которая сохраняется еще какое-то время вслед за тем, как солнце скрывается за горизонтом, но до того, пока не сгустилась темнота. Я усердно работала, склонясь над компьютером, когда вдруг...

Ну, в общем, мне показалось, что за моей спиной кто-то стоит.

Я медленно — признаться, тот странный монетный звон произвел на меня впечатление! — оглянулась.

Это был Жан Ле Мур.

— Испугались? — Он чуть усмехнулся.

— Честно говоря, немного! Вы как-то внезапно... Признаюсь, я и тогда, во дворе у памятника, когда вы появились из-за спины великого магистра, немного испугалась, — сказала я. — Возникли, знаете, просто как тень гроссмейстера.

Промолчав, он обвел комнатку долгим и, как мне показалось, немного растроганным взглядом.

— Studierzimmer!

— Что?

— Так, неважно... Это из одной старой истории. Про доктора...

— Не Фауста случайно?

Он не ответил и подошел к окну.

— Только взгляните! — Мой работодатель вздохнул, глядя вдаль. — Такой она была всегда! Волнистая равнина, усеянная озерами и валунами, под которыми древние пруссы погребали пепел своих мертвецов. Обширный и мрачный горизонт... Дикая языческая земля свирепых пруссов!

Мой друг остановился и поглядел на меня своим странным, долгим, поистине завораживающим взглядом.

— Надо заметить, они были на редкость свирепы, — произнес он наконец. — Первый миссионер Пруссии святой Адальберт упоминает о «песьих головах с ужасными пастями», окруживших его, когда он высадился из лодки на берегу этой реки, и «скрежетавших что-то дикое». «Эти волки жаждут крови!» Дикари, покрытые звериными шкурами и косматые, как духи их унылых болот и лесов. А кругом пустынная северная равнина, ручьи, озера, сосновые боры!

— Кажется, вы всерьез увлечены темой своей диссертации, — заметила я, пораженная его столь неожиданно прорвавшейся эмоциональностью и обилием восклицательных знаков.

— Вы почти угадали! — Он отвернулся к окну. Теперь я не видела его глаза, слышала только его голос: — Когда пруссы в первый раз увидели всадников в белых плащах, на которых резко выделялся черный крест, они спросили: кто эти люди и откуда пришли? «Набожные и храбрые рыцари, посланные из Германии владыкою нашим, папой, сражаться с вами до тех пор, пока ваши непокорные головы не склонятся перед нашей святой церковью». Таков был ответ, так повествует «Хроника ордена».

Но печальной показалась эта земля рыцарям, когда они увидели ее в первый раз. Стоя маленьким отрядом перед бесчисленным множеством врагов, они «пели песнь скорби. Ибо они покинули дорогую родину, землю мирную и плодородную. И пришли в страну ужаса, в обширную пустыню, где начиналась страшная война».

Мы стояли у окна. Небо было покрыто серыми и

черными тучами, но на западе бесконечной равни-
ны, вид на которую открывался из узкого, похожего
на бойницу окна, горизонт горел прозрачным золо-
тистым светом.

— Да... Мрачный и прекрасный север, треск льда
под копытами рыцарских лошадей... Эта война про-
должалась пятьдесят три года! Превосходство воору-
жения делало из каждого рыцаря настоящую под-
вижную крепость. А сами их крепости — замки,
которые они возводили один за другим, были шедев-
рами искусства фортификации. Тальборг тому подтверждение! — Он говорил все это, глядя вдаль, на
эту самую волнистую равнину, а совсем не на меня.
Словно и правда видел там белые плащи с черными
крестами. — Героический век ордена! Они бьются с
отчаянием в сердце. Они терпят голод и лишения.
Но тем пламеннее молитвы! Охваченные экстазом,
рыцари молят небо о чудесах, и чудеса не заставляют
себя ждать!

А я все ждала, когда же он снова повернется ко
мне. Ибо одно чудо, кажется, уже свершилось. Я-то
предполагала, что этого больше не случится со мной
вообще. Во всяком случае, в ближайшие несколько
лет. После того, как моя последняя любовь раство-
рилась в тумане осеннего курорта...

Наконец он обернулся и снова взглянул на меня.

Надо заметить, ничего более завораживающего,
чем взгляд господина Ле Мура, я просто не знаю.

К сожалению, я неожиданно чихнула, разбив немного мистическое и романтическое настроение, во-
царившееся было в нашей Studierzimmer.

— Это все пыль веков! — заметила я, поспешно
доставая носовой платок. — Ей, наверное, лет сто...

— Пятьдесят четыре года, — заметил мой собеседник.

— Что?

— Именно столько лет назад была закрыта дверь в эту комнату.

Я улыбнулась. У Жана Ле Мура прелестная манера, свойственная людям науки, педантам и музейным работникам, воспринимать слова до точности буквально.

* * *

— Это вам! — протянула мне изящную, переплет — синее с золотом, книжицу Элжбета, пани менеджер по кадрам, когда я зашла к ней уточнить кое-какие рабочие мелочи. Конкретно — где взять метелку для пыли.

— Что это?

— Часослов герцога Беррийского... Шедевр книжной миниатюры пятнадцатого века!

— Вот как?

— Взгляните! — Пани открыла книгу. — Это то, о чем я говорила.

— Правда? — Я послушалась настойчивого совета.

— Как видите, обычный средневековый сюжет... Лимбургами изображен пир. Главное место занимает фигура герцога — он сидит за столом, уставленным золотой утварью. На заднем плане словно бесконечный поток жемчужно-стального цвета лавы. Это рыцарские доспехи. Над ними словно лес или частокол, это древки знамен, которые полощутся на ветру...

— Очень любопытно! — Я вздохнула. Увы, я уже поняла, что эта пани любит поговорить, причем долго, отвлеченно и цветисто.

— Да вы только взгляните, какие детали, Эмма! Какие цвета... Ведь все списано с натуры. Белые с красным сутаны церковников... Роскошные синие и зеленые плащи вельмож и непременные рукоятки кинжалов — надо полагать, с ними редко расставались в те времена! Вот в правом углу слуга наклонившись кормит собаку с острой вытянутой мордой и черным ухом. А вот здесь, тоже справа, этот молодой человек в скромном сером плаще, который так отличается от ярких одежд остальной свиты... Обратите внимание, он стоит, опираясь локтями на спинку покрытой ковром скамьи, чуть позади герцога и ближе всех к нему! Вы только взгляните...

Я взглянула.

И невольно ахнула.

— Невероятно, — пробормотала я.

Человек в сером плаще, тот, что стоял, словно тень, почти рядом с герцогом и словно чуть позади... Невероятное совпадение! Если кто-то не верит в реинкарнации, то поверил бы, взглянув на такое. В общем, тот человек был вылитый Жан Ле Мур! Сходство ведь заключается не только в точном повторе черт лица. Есть еще нечто такое, неуловимое, что может передать лишь очень талантливый художник, мастер, — поворот головы, особенность осанки, взгляд. То, отчего сразу узнаешь человека... Даже если, например, время изменило его черты.

— Забавное совпадение, — заставила я себя усмехнуться.

— Совпадение? А известно ли вам, милая пани, что посуда, изображенная на миниатюрах братьев Лимбург, так вот посуда, которой уставлен пиршественный стол, в точности совпадает с описями имущества, составленными в замке его сиятельства дюка Беррийского?

— Неужели?

— И не забывайте, дорогая, придворный живописец прежних времен — это то же, что сегодня фоторепортер хроники. Задача перед ним стояла та же — запечатлеть мгновение! Вот герцог вернулся с охоты, и мастер, которого позже причислят к сонму великих живописцев, самой важной своей целью почитает запечатлеть убитых фазанов. И королевского пса, лижущего кровь. Точность, документальная точность была в те времена просто обязательна!

— Что вы хотите сказать?

— Говорят, он из весьма древнего аристократического рода. Предполагаю даже, что один из его предков-крестоносцев провел в этом замке несколько незабываемых месяцев...

— Неужели?

— Как я уже сказала, когда-то, в лучшие для замка и ордена времена, сюда для участия в набегах на языческую Литву собирались рыцари со всей Европы.

— Ах, вот что...

Я несколько растерянно рассматривала молодого человека за спиной герцога.

— Если бы мне сказали, что такое возможно, я бы не поверила.

Пани менеджер согласно кивнула.

— Кстати, вы не знаете, где он живет? — спросила я.

Она покачала головой:

— Не знаю точно, дорогая. Кажется, где-то в городе... Увы, я уже не в том возрасте, чтобы молодые люди торопились пригласить меня к себе в гости.

Вечер был на сей раз очень теплым, и я опять долго сидела в одиночестве на ступеньках своего крыльца. Смотришь на звезды — и словно растворяешься в легкой жемчужной космической пыли Млечного Пути. И несешься навстречу неизвестно чему. И уже не можешь остановиться... Удивительно...

Вот уж не надеялась! Во всяком случае в ближайшее время. Во всяком случае здесь, в этом городке, где я думала лишь переждать, скоротать время жизненного кризиса.

И вот у меня уже есть работа. И кажется... Да, по правде сказать, потомок крестоносца Жан Ле Мур не выходит у меня из головы.

Однако... Если это влюбленность, то она совсем некстати. Я так хотела спокойно пожить. Хотела обдумать будущее житье, а не тратить нервную энергию на любовные волнения и неплодотворные эмоции. Любовь... Это ведь значит, что мозг, во всяком случае та его часть, которая отвечает за логику, почти полностью блокируется.

К тому же я ничего не знаю об этом человеке. Ни про «родился и вырос», ни вообще. Дальше случайно обнаруженного предка-крестоносца мы так и не продвинулись. Надо признать, в том, что касается личной жизни, особенно разговорчивым господина Ле Мура не назовешь.

Глава 5

А ночью за стеной моей квартиры чья-то рука опять пробежала по клавишам.

Что ж... Если соседи не откликаются на предложение познакомиться, предпочитая музицировать в одиночестве по ночам, я могу обратиться к другим. Да, к другим соседям!

Начать я решила с ближайшего по соседству дома номер восемь.

Увы, там мне тоже никто дверь не отворил.

За окном одного особняка, пройдя всю насквозь, до конца, улицу Свентого Духа, я все-таки увидела женщину. Но, увы... Когда я подошла к крыльцу, хозяйка скрылась. А занавеска на окне опустилась так невежливо стремительно, что я даже не стала звонить в колокольчик. Реакция на мое появление была слишком очевидна. Вот вам и «другие соседи»! В общем, несолоно хлебавши я отправилась на работу.

И так получилось, что снова прокопалась до самого вечера.

Возвращалась я около семи. Шла по западной галерее Верхнего замка. Стук моих каблуков по каменным плитам пола гулко разносился, разрушая тишину опустевшего замка, уже покинутого туристами. Я торопилась к закрывающимся главным воротам. На минуту я все-таки остановилась, чтобы поправить прическу. И...

Это снова был звон монеты.

В общем, я вполне ясно слышала, как она упала на каменный пол и покатилась.

Очевидно, что это была довольно большая и тяжелая монета.

Я оглянулась, но опять никого не увидела. И это опять случилось возле тех самых окованных железом дверей.

В кабинет директора я вошла, несколько запыхавшись.

Этот странный звон!

Пани Ядвига — сегодня она, рассматривая себя в

зеркальце, тщательно пудрила нос и щеки — вопросительно подняла брови.

— Понимаете, я опять слышала звон падающих монет! В совершенно пустой галерее!

— Казнокрады. — Она зевнула, не отрываясь от зеркальца.

— Кто?

— Ну, им вспороли брюхо и напихали туда монет. — Пани жена директора снова зевнула. — Так и бродят с тех пор.

— Что? — Мне понадобилось некоторое время, чтобы переварить это странное заявление. — И давно они... э-э... бродят?

Пани ненадолго задержала на мне взгляд:

— Извини, дорогуша, не считала!

Похоже, все это не слишком ее смущало.

— Вы хотите сказать, это легенда, да?

— Легенда? — Она хмыкнула: — Сама небось слышала!

Столь простой ответ поставил меня в тупик. В общем, возразить мне было нечего: я сама слышала звон и могла бы присягнуть и поклясться, что за моей спиной действительно кто-то уронил монету. С другой стороны, у меня нет никаких оснований не доверять «пани жене господина директора».

В состоянии довольно сильного потрясения я смотрела на свою собеседницу.

Забыла сказать: у жены пана директора все в тон. Я хочу сказать, что пани Ядвига вся в черном. Складывается впечатление, что это необычайно для нее важно, и если однажды она непостижимым образом выбьется вдруг из нужной для нее гаммы... Ну, в общем, лично мне трудно даже представить себе столь жуткое происшествие.

Помада у нее алая, а потому лицом пани Ядвига слегка напоминала только что поужинавшего вампира.

— А кто-нибудь еще слышал этот звон? — все же не слишком доверчиво уточнила я.

— А то! Небось тут не глухие работают.

Странно, конечно, что у «пани жены директора» такая манера общения. Мягко говоря, пани и держится, и говорит не совсем как жена директора. Впрочем, где только не находят своих жен паны директора. Иногда за макияжем и норковыми манто этих дам такое скрывается...

Однако фраза «Небось тут не глухие работают» показалась мне не лишенной логики. И, покидая замок, я задержалась возле окошка кассы на выходе у главных ворот.

Касса к этому времени уже закрывается, но пани кассирша, как всегда, задержалась. По-моему, все дело в пухлом зачитанного вида томе, что лежит у нее на коленях, который она так азартно перелистывает. На самом деле, по-моему, этой пани просто очень хочется дочитать. Я лично ее понимаю. Честно говоря, я и сама люблю именно такие книжки — от которых не оторваться.

В общем, сколько я вижу пани кассира, она всегда что-то читает. Причем делает это так увлеченно, что ничего не замечает вокруг. И ее худые в старческих морщинках ладошки, когда она переворачивает страницу, немного вздрагивают.

— Извините, что отвлекаю, — несмело начала я, заглядывая в окошко кассы. — Но как вы полагаете, эти казнокрады, они...

— Казнокрады? — не отрываясь от чтения, переспросила пани кассир.

— Я говорю, эти казнокрады... они действительно...

Она подняла голову.

— О, это была мастерская кража, надо признать! Идеальное преступление!

— Правда?

— Понимаете, они обокрали главную казну ордена! — заметила пани кассир с непонятным удовлетворением и, оторвавшись наконец окончательно от своего чтения, неожиданно оживилась: — Причем, заметьте, дорогая, до сих пор никто не знает, как они это сделали!

— То есть?

— Главная казна находилась в комнате, стены которой были окованы жестью! Да еще мощные двойные двери!

— Очень интересно...

— Еще бы! Преступление так и не раскрыто.

— А как вы полагаете, эти казнокрады, они действительно... Ну, вы меня понимаете? — совсем запуталась я.

— Не очень.

— Я хочу сказать, эти казнокрады, они действительно...

— Что?

— Ну... — смутилась я. — Мне кажется, я кое-что слышала!

— Что именно?

— Звон монет!

— А-а, это... Не берите в голову!

И, неожиданно прервав разговор, пани кассир снова углубилась в книгу.

Интересно все же, что она читает?

* * *

Весь день напролет я сижу в своей Угловой башне, тюкаю по клавишам ноутбука, покрытая пылью с головы до ног. Раздираю слипшиеся страницы инвентарных книг, разбираю выцветшие чернильные записи. Чу́дная «творческая» работка, которой не видно конца. Механическая, монотонная. В мою задачу не входит понимать что-либо, надо всего лишь набирать текст. Вереницы описаний каких-то предметов. Многого из того, что здесь описано, надо полагать, давно уже нет. Погибло или просто исчезло.

Я не вникаю в смысл записей, не пытаюсь перевести слова, голова занята собственными проблемами. Слова скользят по каким-то дальним окраинам мозга. Отмечаю лишь невольно многократные повторения — в инвентарных описях, например, много предметов из янтаря.

Вообще-то янтарная коллекция — украшение замка. Чего здесь только нет — шкатулки, кубки, трубки, ножи... Все это шедевры янтарного искусства времен его великолепия и расцвета — семнадцатого-восемнадцатого веков.

Вот, например, сегодня я потратила почти час на описание янтарного алтаря. Я уже видела этот алтарь внизу, в залах музея. Семнадцатый век, филигранная работа, украшен распятием, фигурами архангелов и сценами из жизни святых. А чтобы выточить таких крошечных ангелочков — в геммах, — нужно обладать поистине фантастическим мастерством.

Неужели этот шедевр еще не описан? Если да, тогда зачем то же самое делаю я? Впрочем мне совсем не хочется забивать, загружать свою голову такими вопросами. Хотя, надо признать, это какая-то непонятная работа, довольно странный труд... Но надо так надо! Начальству, как всегда, виднее. Главное, что мне будут платить деньги.

Если день солнечный, то часть обеденного времени я провожу в прогретом осенним солнцем розовом саду на южной террасе замка. Она самая солнечная... Не удивительно, что еще один из гроссмейстеров ордена разбил здесь сад. Здесь и сейчас растут розы. Правда, они неухоженные, одичавшие. На все в замке не хватает рук.

Но чтобы попасть в розовый сад, мне надо пройти мимо той старой лиственницы, возле которой я «нашлась», когда заблудилась в первый раз. Никто не знает точно, сколько ей лет. Говорят, она была здесь и во времена великих магистров. Лиственница — бессмертное дерево... Вечное. Ее древесина не гниет. А еще ее присутствие означает, что рядом некрополь.

Невдалеке от нее, в могильной часовне, — усыпальница гроссмейстеров ордена и важнейших тевтонских сановников. Начиная с 1341 года их похоронено здесь тринадцать. Но за века разрушений, которым подвергался замок, лишь несколько каменных надгробных плит сохранилось в неприкосновенности. Так, как были положены когда-то. Хайнриха Дусимера, Хайнриха фон Пляуна, Дитриха фон Логендорфа и еще одна с полустершейся, неразборчивой, практически уже неразличимой надписью.

Здесь же, рядом с часовней, выход на восточную террасу, исполнявшую когда-то роль рыцарского кладбища. Плиты надгробий с полустершимися надписями напоминают о древней ее функции, хотя сейчас это всего лишь выставка исторических элементов и архитектурных деталей. Но в этом месте какая-то странная аура. Здесь всегда прохладно. Во всяком случае, холоднее, чем в других места. Кладбище оно и есть кладбище. И здесь мне всегда несколько не по себе.

Почти то же касается и моих отношений с коллективом — я как-то не слишком в нем прижилась. Нельзя сказать, что я здесь популярна: я новенькая, приезжая. И весь день напролет сижу в Угловой башне. Обедаю я тоже в башне. У меня с собой кока-кола, бутерброды, термос. Все это посоветовала мне брать с собой пани Элжбета, менеджер по кадрам.

А местный народ все больше толчется в офисах Нижнего замка. Там пьют кофе, болтают, курят. Я не могу даже сказать, что я более или менее близко познакомилась с людьми, которые работают в замке. При встречах я лишь киваю и улыбаюсь.

Надо заметить, от природы я не слишком общительна. Моя мама, выбирая для меня в детстве спортивную секцию (забота о детях в СССР включала в себя непременное условие — ребенка ну просто обязательно надо было записать в какую-нибудь секцию или кружок), учла некоторые особенности моего характера. И, к счастью, не записала меня в команду по синхронному плаванию. А стрельба из лука не требует тесного взаимодействия с коллективом. Так что при таком природном устройстве моей психики в данном виде спорта был для меня несомненный плюс. У меня никогда не было большого количества друзей. Самый близкий человек для меня — сестра. И хотя я уже давно не видела Эллу, я никогда не говорю о ней «была».

Короче говоря, в Тальборгском замке, кроме несколько странной пани жены директора, у которой я беру ключ, Жана Ле Мура, время от времени наведывающегося в Угловую башню (я бы не возражала, если бы это случалось чаще), и вечно читающей пани кассирши, я общаюсь еще только с менеджером по кадрам. Элжбета довольно милый человек... С одним лишь явным недостатком: ее хлебом не корми, дай провести экскурсию. В музеях часто встречаются подобные персонажи, например, какой-нибудь сторож, который знает больше директора. Есть такой несколько, на мой взгляд, занудный тип музейных патриотов.

А в общем, похоже, суета, которая донимала меня в Париже, здесь мне не грозит. Занятная складывается у меня жизненная ситуация: днем одиночное заключение в башне, и если общение, то преимущественно с казнокрадами, вечером безлюдье исторического Тальборга, а дома тишина ночи, нарушаемая лишь странного происхождения музицированием.

Конечно, я не оставляю дальнейших попыток познакомиться со своими соседями. В запасе у меня еще несколько домов исторического Тальборга. Но отчего-то и там, сколько ни вглядываюсь я в закрытые двери, ставни и жалюзи, я не нахожу особых признаков жизни. Прежде я не придавала значения этому безлюдью, но теперь...

К сожалению, ни общительная Элжбета, ни весьма, как мне кажется, осведомленная пани кассир не в состоянии прояснить эту ситуацию — они живут в новой, спальной части городка и по поводу Тальборга исторического, что называется, «не в курсе». Надо бы расспросить Жана!

* * *

Солнце за окном моей башни склонилось к горизонту, и, выключив ноутбук, я отправилась домой.

Я уже миновала кухню и трапезную и почти спустилась в галерею, ведущую к выходу из Верхнего замка, когда за моей спиной кто-то засмеялся.

Я оглянулась. Ну, надо же... Никого!

Тогда я вернулась немного назад и заглянула в кухню. Именно оттуда, как мне показалось, и раздавался женский смех.

Никого.

Я подошла к высоким открытым дверям трапезной. Но и там никого не было.

Галерея тоже была пуста.

Между тем я могла поклясться, что несколько минут назад за моей спиной кто-то засмеялся.

— В Верхнем замке никого сегодня не забыли? — поинтересовалась я у пани Ядвиги, оставляя, как обычно, ключ на ее столе. — Может, кто-то заплутал?

— С чего бы это?

— Мне почудилось, там кто-то смеется. К тому же, кажется, женщины были довольно пьяны. Признаться, не слишком приятные голоса у них!

— Да курвы это.

— Кто?

— Поварихи!

— Не поняла...

— И понимать тут нечего. Рыцарям-то баб не разрешали брать в замок. Ну, монахи ведь они. Обеты у них. Короче, нельзя им было это дело, поняла?

— Не очень...

— Только ведь одно слово — мужики: всегда сообразят, как вывернуться. Свинья грязи найдет. А вот бабам теперь приходится мыкаться...

— Вы серьезно? То есть вы хотите сказать, что эти поварихи... они...

— А ты как думала?!

— Значит, тот женский смех, что я слышала, — это... Неужели эти женщины тоже... ну, как казнокрады... э-э... бродят?

Пани жена директора, явно обиженная моим недоверием, поджала свои, как всегда, несколько чрезмерно накрашенные губы:

— А то!

Я с трудом подавила невольный вздох. Судя по всему, мне крупно повезло: пани весьма сведущий человек. Похоже, она знает про замок все и удивить ее невозможно. Но все-таки, мне кажется, на сей раз она хватила лишку... со своими розыгрышами.

Это уже почти традиция — я снова остановилась у окошка пани кассирши.

— Поварихи? — Она оторвала голову от книги. — Вам уже рассказали их историю?

— Очень конспективно, — созналась я, имея в виду рассказ пани жены директора.

— Дело в том, что рыцарям не разрешалось брать в замок на работу женщин, — терпеливо пояснила пани кассир. — Все повара должны были быть строго мужского пола. Но крестоносцы все-таки добились поблажки от Рима, и им разрешили женщину-повара. Но со строгим ограничением: не младше шестидесяти лет.

— И?

— Они взяли на работу в замок троих поварих — каждой по двадцать. Всем вместе — шестьдесят. Как и положено было Римом.

— Остроумно... Надо, однако, заметить, смех у них весьма вульгарный!

— Смех? — Пани кассир на секунду задумалась. — Не берите в голову! — И она снова опустила глаза в книгу.

Ну вот, вдобавок к казнокрадам еще и поварихи.

* * *

Между тем музыка за стеной моей квартиры по ночам не прекращается. И сегодня я, наплевав на приличия — а что делать? — долго и громко стучала в соседскую дверь.

Но мне никто не открыл. Никто не откликнулся.

А узкая, мощенная плиткой дорожка к их порогу — я только что обратила внимание — так вся проросла травой, как будто по ней с самого начала лета никто не ходил.

Ладно, ладно. Утром разберемся...

На этот раз я все-таки вошла в двери фирмы «Аренда и продажа» на Староместной.

Меня встретил вежливый клерк:

— Чем могу помочь?

— Скажите, а что с квартирой в доме номер шесть по улице Свентого Духа?

— Она вас интересует?

— Хотелось бы знать, ее уже сдали?

— Нет!

— Вот как?

— Мы и не собирались ее сдавать. Квартира приобретена в собственность некоторое время назад, и аренда не входит в планы нового домовладельца. Там никто не живет.

— Разве? А мне кажется, это не совсем так.

— Не понимаю?

— В квартире кто-то живет!

Клерк удивленно пожал плечами:

— Уверяю вас, нет. Почему вы так решили? — Он взглянул на меня как-то чересчур внимательно.

Я оставила его вопрос без ответа и задала очередной свой:

— А вы не знаете, почему и другие дома на улице Свентого Духа пустуют?

— Пустуют? Правда?

— А вы не в курсе?

— Нет.

Странный ответ для сотрудника единственной в городе фирмы «Аренда и продажа». Не знаю почему, но мне показалось, что он лжет.

— Честно говоря, мне там как-то не по себе, — созналась я.

Возможно, мое признание выглядело более чем искренне.

— Знаете, что я могу вам посоветовать... — Клерк задумался.

— Что?

— Напишите ему в Варшаву. Или позвоните.

— Кому?

— Пану Красовскому.

— Кто это?

— Домовладелец. Ему принадлежит дом, который вас интересует.

— Вот как?

— Может быть, он его и сдал, а нас не поставил в известность.

— Вы думаете?

— Я дам вам электронный адрес Яна Красовского и его телефон.

— Благодарю.

Не скрою, мне показалось, что клерк торопился от меня отделаться. И вел он себя как-то странно.

Увы... Варшавский телефон домовладельца Красовского не отвечал. И поздно вечером, под музыкальный аккомпанемент — за стеной раздавались фортепьянные трели, — я написала ему электронное письмо.

Пусть, по крайней мере, сообщит мне: есть ли на его половине дома рояль?

Глава 6

Сегодня, встретив меня в конце рабочего дня в Верхнем замке, Элжбета опять подхватила меня под руку и потащила по залам.

— Обратите внимание, Эмма, на эти великолепные мощные круглые колонны, на эти приземистые низкие помещения, которые мы проходим... — как обычно начала причитать она. — Это дормитории, спальни рыцарей. Знаете ли вы, что по уставу ордена бедняги должны были всегда спать полуодетыми, положив рядом с собой меч?

Она остановилась на пороге очередного зала и сообщила:

— А здесь у нас экспозиция рыцарских доспехов!

Я невольно замерла. Темный зал казался заполненным железными призраками. Кругом были доспехи, доспехи, доспехи... Кирасы, поножи, наручи, шлемы...

Мы шли сквозь строй одетых в железо манекенов.

И вдруг...

— Слышали? — Я резко остановилась.

Я была убеждена, что мне не померещилось! Дело в том, что, когда мы проходили мимо довольно забавных, явно детского размера доспехов, забрало маленького шлема чуть слышно лязгнуло.

— Слышала, разумеется, — Элжбета кивнула. Как ни в чем не бывало! И, подхватив меня под руку, продолжила путь.

— А еще женский смех! — не выдержала я. — В пустой комнате на западной галерее Верхнего замка.

— Вот как?

— И все время этот звон...

— Вы слышите звон падающих монет? — без особого, как мне показалось, удивления переспросила Элжбета.

— Да!

— Надеюсь, вы не пытались их найти?

— Нет, — смутилась я, — но...

— Некоторые бегут, чтобы подобрать!

— А что, нельзя?

— Ни в коем случае!

— То есть?

— С теми, кто побежал на звук монет.... В общем, у духов ничего нельзя брать.

— У духов?

— Это так называемые «скитальцы», Эмма.

— Что?

— Блуждающие духи.

— Кто?

— Что вы вообще знаете о призраках, Эмма? — вздохнула от такой неискушенности пани менеджер.

— Практически ничего, — честно созналась я. — Ни уха ни рыла!

— Как?

— Это такое русское выражение. То есть я совсем ничего не знаю о призраках.

— Хорошо, я немного введу вас в курс дела.

— Буду признательна!

Мы вернулись в ее кабинет, и Элжбета включила кофеварку.

— Видите ли, дорогая, еще в древности люди полагали, что после смерти души некоторых умерших блуждают по земле, смущая покой ее обитателей. У римлян даже был обычай справлять в их честь трехдневные празднества. В эти дни закрывались храмы и не разрешались свадьбы.

— Вот как?

— Дело в том, дорогая моя, что душа, отделяясь от тела, далеко не всегда сразу находит свое новое воплощение.

— Неужели?

— И тогда, в промежутке между воплощениями, она становится блуждающим духом, скитальцем. — И, наклонившись ко мне, она, понизив голос, произнесла: — Они рядом с нами, дорогая! Рядом с живыми. Они среди нас!

— Элжбета... — не выдержала я ее серьезного тона, — вы говорите просто невероятные вещи!

— Вы так думаете? — Она и глазом не моргнула. — Большинство скитальцев, дорогая моя, это так называемые «несовершенные» духи, духи самого последнего ранга.

— Существует даже классификация?

— А как же! Наш замок населяют именно они, — продолжала Элжбета. — Несовершенные духи, Эмма, очень привязаны к месту, где прошла их плотская жизнь. Они дорожат нашим миром, томятся по его грубым радостям и сами не хотят его покидать...

— Это вы о поварихах?

Пани менеджер с важным видом кивнула.

— И вас это не удивляет?

— Духи для такого места, как наш замок, Эмма, это нормально.

— Что вы говорите?

— Ну, я хочу сказать: к чему только люди не привыкают... Согласитесь, ведь если монетный звон слышишь постоянно, то реагируешь на него уже, как на звук дождя: «А-а, кажется, снова пошел...»

— Правда? Не могла бы о себе такого сказать...

Мой взгляд упал на заголовок брошюрки, лежавшей на столе пани Элжбеты с самого краю. «Теоретический очерк об ощущениях у духов», — прочитала я. Затем перевела взгляд на другие книженции. Увы, и другие были в том же духе (я мысленно хихикнула: ничего себе каламбур получился): «Переходные миры», «Множественность существований», «Свет в конце тоннеля»... И даже «Отношения в потустороннем мире, симпатии и антипатии» тут были! Ну и ну... И пани менеджер по кадрам, оказывается, о том же, что и пани Ядвига!

«Нет, все это уже чересчур! — подумала я про себя. — Надо, очевидно, делать скидку на то, что пани Элжбета находится в том возрасте, когда женщины начинают активно интересоваться потусторонним миром. Спиритизм и все такое... Что делать, если другие радости им уже менее доступны. Что ж, все мы там будем».

— Однако не все скитальцы довольны своим пребыванием среди живых, — продолжала между тем пани Элжбета. — Для некоторых из них, избранных и высшего ранга, эта мера выбрана Создателем как наказание. Наказание, которое может длиться годы и даже столетия. А ведь их душа стремится к своей новой судьбе и ждет ее...

— За что же они так наказаны? — уточнила я.

— И то сказать, есть за что...

— Даже так?

— По правде сказать, тут такое творилось! — понизив голос и немного покраснев, доверительно сообщила мне пани менеджер.

— Правда?

— Теперь уж, конечно, никто точно не знает, что на самом деле происходило, но... Души живших здесь людей, распутных и грешных, никак не могут расстаться с замком! Это очевидно.

В общем, после разговора с пани Элжбетой, несмотря на все мои язвительные внутренние аргументы, ирония моя заметно угасла.

* * *

Солнце, как обычно, клонилось за окном моей башни к закату, я усердно трудилась над компьютером, как вдруг... Ну, мне опять показалось, что за моей спиной кто-то стоит.

Я медленно оглянулась. Это снова был Жан Ле Мур.

Надо заметить, он всегда появляется довольно неожиданно. «Соткался из тумана» — это про него. Точнее — не из тумана, а из того призрачного света, который держится еще некоторое время после заката солнца.

От неожиданности я вздрогнула.

Хотя что скрывать, когда Жан Ле Мур появляется в «моей» башне — это лучшая часть моего дня. Вернее, по сути, вечер. Потому что Жан Ле Мур, замечу, если и появляется, то именно по окончании рабочего дня, к заходу солнца. И как-то неслышно. Во всяком случае, я никогда не слышу его шагов на лестнице.

— Бутерброд? — щедро предложила я гостю поделиться своими припасами. Вообще, когда Жан Ле Мур возвращается в замок, я оживляюсь и становлюсь просто неприлично радостной.

— Nein... — По-французски он говорит, перемежая довольно часто речь немецкими словами.

— Кофе?

— Нет.

Вот интересно — я еще ни разу не видела, как Жан ест или пьет.

— Кстати, помните ту монету? Я была права!

— Knurre nicht... Чепуха!

— Хотите — верьте, хотите — нет.... Оказывается, это казнокрады.

— Наверное, вам рассказали легенду?

— Да, пани Ядвига. Она считает, что призраки бродят по замку и роняют монеты. — И я в лицах передала лаконичные комментарии пани жены директора: «А то!», «Небось!» и так далее.

— Смешно, — заметил Жан, впрочем, даже не усмехнувшись. Улыбка вообще для моего нового знакомого редкость, это я уже заметила.

— А есть ведь еще поварихи! — продолжила я.

— Вы это серьезно?

— Нет, конечно, — засмеялась я.

— Я так и подумал.

И мой друг снова взглянул на меня своим странным, долгим, поистине завораживающим взглядом.

— Однако, говорят, бедные призраки наказаны за грехи! — не унималась я. — Воровство, распутство и все такое. Что касается меня, то я лично, Жан, не очень верю в благотворную силу наказания. А уж тем более в эти «вечные проклятия»! Подумать только, эти бедняги казнокрады... Что уж такого ужасного они натворили? Ну, позаимствовали горсть-другую монет...

Я остановилась, заметив, что мой гость, отвернувшись к окну, кажется, совсем не слушает меня.

— Жан! — окликнула я его.

Он выглядел так, как будто не слышал меня, задумавшись о чем-то своем. Или как будто он вдруг забыл о том, что его зовут Жан.

— Что вы понимаете в наказаниях! — вдруг отчеканил он. — Эти воры — жирные бесчестные свиньи! Полагаю, их кара лишь малая часть того, что они заслужили! — Он наконец обернулся. В его серо-голубых, я бы сказала — нордических глазах блестел льдистый серебряный огонь гнева.

— Право же, не хотела бы я, чтобы вы были моим следователем, — немного растерялась я. Я впервые видела его таким.

— Правда?

— Это уж точно... Кстати, пани кассир говорит, что преступление не раскрыто, — заметила я. — До сих пор никто не знает, как они обокрали главную казну ордена.

— Все просто, — сухо произнес он. — Монеты падали к ним сами.

— Что?

— С потолка.

— Как это?

— Воры сделали дырку в потолке. Там наверху стоял сундук с казной ордена. Пол в комнате, где хранилась казна, не был окован жестью в отличие от стен. Понимаете, Эмма? Они попали точно в сундук! Этих свиней обнаружили, когда, потеряв бдительность, они мертвецки напились. До бесчувствия! Валялись на полу, а монеты падали на них сверху, как дождь. Так я... я хочу сказать, так их и нашли на полу, спящих и засыпанных золотом.

— Можно подумать, вы там со свечкой стояли! — удивилась я.

— Я стоял со свечкой?! — Он несколько нервно на меня взглянул. — Nein!

— Жан, это игра слов!

— Я хочу лишь сказать: мной собран довольно значительный материал. — Он поспешно опустил «пергаментные» веки, гася в своих глазах льдистый огонь. — Я ведь уже упоминал о моей диссертации. Так что...

— Что?

— Allwissend bin ich nicht! — пробормотал он.

— Переведите.

— Это значит «откуда мне знать».

Он вдруг нервно зашагал по комнате и так же нервно заговорил:

— «Будьте смелы и тверды...» — сказал им гроссмейстер, посылая сражаться с язычниками. И они истребляют целый народ, чтобы создать новый! Они строят города, издают законы. И правили они несравненно лучше всякого государя в мире...

Жан говорил, путая времена и языки, горячо и очень быстро — как будто машинка печатала стремительно, забывая ставить знаки препинания.

— Было время, когда монашеские добродетели рыцарей укрепляли бедствия и борьба. На унылой земле, населенной людьми в звериных шкурах, напивающимися допьяна всей семьей, возникает процветающее государство — почти сотня новых городов. Каждый год по городу. Чеканится полноценная тяжелая монета. Конвертируемая валюта, знаете ли, — лучший аргумент в отношениях с соседями и подданными! Это было экономическое чудо четырнадцатого века. Справедливое, разумное правление...

Он говорил и шагал из угла в угол. Все шагал и шагал, задевая время от времени кирасу, издававшую протяжный медный звон.

— Долгое время они процветают! Пока наконец не ослабевают, изнежившись от богатства и счастья. Какая уж тут строгая воздержанность, когда вокруг такая роскошь?! В Тальборгском замке «деньги у себя дома»! Богат был не только орден, но и сами рыцари. Хроника замка времен заката скандальна и полна очень некрасивых подробностей. В своих белых плащах рыцари появлялись в таких кварталах Данцига, где цвет невинности был совсем неуместен. Рыцари, которым правила ордена запрещали целовать даже сестер и матерей, неумеренно служили Бахусу и Венере.

— Ого!

— Командор Ольденбург Виллис казнил невиновного, чтобы завладеть его женой! Было время, когда тевтонская крепость служила защитой и убежищем, а стала местом развлечения и распутства.

Даже презренные простолюдины стали называть замок lupanar. Увы, тевтонский орден не пережил времён процветания...

Жан остановился и обхватил голову руками, как от сильной боли.

— Обет бедности, обет послушания, обет целомудрия... Все было нарушено! Наказанием было дожить до таких времён и видеть все собственными глазами. Вот что настоящее наказание! А справедливость?! За горсть монет — всего лишь смерть, избавляющая от страданий и одиночества смерть, а...

— Что?

— Неважно, — он осекся и замолчал.

— Да не переживайте вы так, — растерянно заметила я. — Обычное дело для истории: за расцветом всегда следует падение. И, в конце концов, это всего лишь тема вашей диссертации!

* * *

Как все-таки хорошо, что милые пани меня обо всем предусмотрительно предупредили!

В общем, когда в сумерках надвигающегося вечера в конце длинной западной галереи что-то забелело — на манер развевающейся простыни, — я уже была к этому практически готова. Я не стала любопытствовать и вникать, кто именно там так подозрительно белеет. Я свернула вбок, на лестницу, и вышла из Верхнего замка по противоположной восточной галерее.

Стоит заметить, что я уже неплохо ориентируюсь на местности. Хотя это и непросто в бесконечных лабиринтах коридоров и помещений замка.

— Как минимум это был развевающийся белый саван, — поделилась я снова своими впечатлениями с пани Ядвигой, оставляя ключ.

— М-м...

Ответ пани оказался не слишком вразумительным, хотя тюбик губной помады ей на этот раз не мешал. На этот раз пани красила свои ресницы, и без того, надо сказать, достаточно черные и густые (честно говоря, у меня вообще-то было подозрение, что ресницы у нее накладные), и покрывала тенями веки, причем таким густым фиолетовым слоем, как будто поставила перед собой цель замаскировать синяк под глазом. И вообще пани жена на этот раз была на редкость уклончива и не привычно молчалива.

— Опять я встретила призрака! — погромче, как для глухой, повторила я.

— М-м... — Пани Ядвига отмахнулась от меня, словно от невидимой мухи.

Прощаясь, я все-таки не удержалась и еще раз взглянула на ее интенсивные фиолетовые тени. В это трудно было поверить, но... кажется, под экзотическим макияжем пани жены директора и правда скрывается увесистый лиловый фингал!

— Все-таки странная женщина эта пани Ядвига! — заметила я, задержавшись возле окошка пани кассира. — Вы ведь хорошо ее знаете?

Ответ был неожиданным: пани кассир покачала головой.

— Но вы ведь всех здесь знаете!

— Это правда, — она кивнула.

— И что же?

— Я действительно знаю всех.

— Ну и?

— Кроме пани Ядвиги.

— Правда?

— А что с вами опять приключилось? — поймала я на себе ее внимательный взгляд.

— Да понимаете... — И я рассказала про белеющий саван.

— Не берите в голову, — кратко продемонстрировала свой обычный глубокий скептицизм пани кассир. — Но надо заметить, дорогая, — она удивленно приподняла брови, — духи как-то чересчур охотно идут с вами на контакт!

— С другими такого не бывает?

— Отчего же... Конечно, время от времени с призраками сталкиваются многие. Особенно в нашем замке! — Скептичное хмыканье явно означало намек на пани Элжбету. — Но чтобы вот так...

— Как?

— Очевидно, вы обладаете какими-то особыми свойствами, дорогая. — Пани кассир глядела на меня с нескрываемым интересом. — С вами происходило прежде, до приезда к нам, что-нибудь подобное?

— Н-нет...

Я солгала ей.

Да, я солгала, когда сказала, что прежде, до приезда к Тальборг, со мной не происходило ничего подобного. В том-то и дело, что происходило! Но мне не хотелось рассказывать ей про Эллу. Это главная тайна моей жизни. Дело в том, что сестры давно уже нет рядом со мной, но... тем не менее иногда...

— Так вы не верите, что это был саван? — чтобы увести разговор от неудобной для меня темы, уточнила я.

— Разумеется, нет.

— И в то, что духи очень привязаны к месту, где прошла их плотская жизнь, и не хотят его покидать, в это вы тоже не верите?

— Видите ли, дорогая, поскольку я сама очень привязана к Тальборгу и его замку... поскольку я здесь родилась, прожила всю жизнь и никогда ни за что не расстанусь с этим местом... поскольку я не покину его, что бы ни случилось, то...

— Да?

— То лично я не вижу ничего удивительного в том, что кто-то не хочет расставаться с замком и после... «того».

— После того, как душа покинула бренное тело? — уточнила я. — Это вы хотите сказать?

— Именно это я и хочу сказать, — уверенно кивнула моя собеседница. — Однако, на мой взгляд, это не имеет никакого отношения к тому, что с вами происходит.

— Правда?

— Не берите в голову, — снова повторила она и уткнулась в книгу.

Похоже, это любимая фраза пани кассира. Однако, судя по ее внимательным взглядам, не скажешь, что она сама следовала собственному совету.

* * *

— Да какой там саван! Наивно! — Пани Элжбета всезнающе усмехнулась, когда я рассказала ей о простыне в галерее.

— Нет? — удивилась я возражению. Надо заметить, с некоторых пор мы с пани менеджером очень подружились. И под стеной замка, где примостились еще по-летнему несколько столиков, выпиваем с ней частенько по чашечке кофе, а иногда, признаться, и по рюмочке. — Тогда что же это было?

— Бог с вами, Эмма... Это был плащ!

— То есть?

— Ну как же! Именно белые плащи, но с черным крестом, крестоносцы и носили! Я думаю, вам повстречался Вечно Спешащий Рыцарь.

— Куда же он спешит? К тому же — вечно?

— Видите ли, эта галерея... — моя консультантка по призракам немного покраснела. — Ну та, где вы встретили Спешащего Рыцаря...

— Да?

— В общем, она соединяется с длинным коридором, а тот, в свою очередь, ведет... — пани Элжбета деликатно потупилась. — Ну, как вам объяснить... Вы в курсе про Туалетную башню?

— Какую?

— Туалетную, Эмма! Это достопримечательность нашего замка, самая старая крепостная постройка. И самая высокая. Высота башни невероятна. Во времена рыцарей она исполняла функцию главного туалета. Сооружена она на арках, чтобы под ней могли протекать воды реки. Туалетная башня, дорогая моя, дает представление о весьма продуманной системе средневековых санузлов...

Удивленная, я с полным вниманием выслушала весьма содержательные пояснения пани Элжбеты.

— Башня уникальна! — с гордостью повторила она. — К сожалению, в наше время молодежь отворачивается от культуры, посещаемость музея падает...

— Значит, Спешащий Рыцарь? — прервала я обычные ее сетования.

— Думаю, да! Если вы видели белый развевающийся плащ в коридоре, по которому рыцари когда-то спешили в Туалетную башню, это был именно он.

— Знаете что, — я все же не удержалась от вздоха. — Давайте честно: поварихи, казнокрады, Спешащий Рыцарь... Есть кто-нибудь еще?

Элжбета с важным видом кивнула.

— Выкладывайте уж все сразу!

— Ну, звон монет и поварих вы уже слышали...

— Довелось!

— Спешащего Рыцаря видели...

— Имела честь!

— Еще есть рыцарь-малютка. Вы, я знаю, уже обратили внимание в зале доспехов на его детские латы.

Я кивнула:

— Еще бы!

— Малютка иногда бряцает забралом, если посетители музея задерживаются дольше обычного, — пояснила она. — Капризничает!

— Трогательно...

— А в общем, то, что они все вытворяют, не слишком серьезно. — Снисходительная улыбка тронула губы менеджера по кадрам. — Ведь скитальцы, дорогая моя, отнюдь не всегда дурны. Конечно, одни из них находят удовольствие, причиняя зло. Но есть и такие, которые помогают, хранят, защищают. Есть и те, что не совершают ни добра, ни зла. Есть скитальцы легкомысленные, сумасбродные, нейтральные... Наши в основном довольно безобидны. Так, хулиганят помаленьку! Это Lares Familiares. Так называют добрых духов.

— Добрых? А как называют злых?

— Упаси бог даже упоминать! Чтобы избавиться от них, существовал обычай бросать на могилы усопших черные бобы или сжигать их, поскольку злые духи не выносят запаха их дыма.

— Вот как?

— Из наших особенно опасен один...

— Это немного! Вы меня успокоили.

— Правда, с ним шутки плохи, — пани Элжбета чуть понизила голос.

— Вау! На чем же этот призрак специализируется? Насылает мороки? — сдерживая усмешку, попробовал уточнить я. — Заманивает в подземелье?

— Хуже, дорогая... То, что он делает, много хуже!

— Очень любопытно, — скрывая улыбку, чтобы не обидеть свою приятельницу, заметила я. — Вы не преувеличиваете опасность?

— Скажу только одно: не стоит, чтобы он на вас глядел. — Элжбета замолчала. И я впервые видела в бесстрашных глазах всезнающего старожила замка, запросто якшающегося с призраками, страх.

— Что? — не поняла.

— Не следует встречаться с ним взглядом, — повторила она.

Тут мне стало совсем смешно. Но я все-таки сдержалась, не показала этого.

* * *

Смешно-то смешно... Но я теперь ловлю себя на том, что при отсутствии электричества, увы, неизвестного тевтонским рыцарям, построившим замок, мне хочется покинуть место своей работы до того, как «надвинулся» вечер. Особенно почему-то, как я уже писала в этом дневнике, я не люблю ходить мимо усыпальницы гроссмейстеров и рыцарского кладбища. Хотя, повторяю, это сейчас всего лишь выставка исторических элементов и архитектурных деталей.

Я даже попросила Жана Ле Мура меня провожать.

И, как оказалось, не напрасно!

...Он был в грязной, покрытой белесой пылью странной хламиде, свисающей до самых пяток. А поверх нее еще какая-то длинная меховая кацавейка. Космы бороды спутывались с ее звериным мехом. В общем, что про него скажешь? «Покрыт звериной шкурой, космат, свиреп». Даже издали были слышны его тяжелые шаги...

Когда я увидела эту тяжко ступающую среди каменных надгробий фигуру... В общем, «стоя маленьким отрядом», нам с Жаном, который шел чуть позади меня, оставалось только «петь песнь скорби», «ибо они покинули дорогую родину, землю мирную и плодородную. И пришли в страну ужаса».

Да, хорошо, что в тот момент меня сопровождал Жан. Я невольно оглянулась, ища у него защиты. И обнаружила, что наш «маленький отряд» неполон — мой провожатый как сквозь землю провалился. А между тем «косматый и свирепый дух древних прусских болот и лесов» — это определение подходило к надвигающейся на меня фигуре как нельзя более точно — был уже в нескольких шагах от меня.

Я невольно зажмурилась...

Не знаю, решилась ли бы я открыть глаза, если бы... не неожиданный для призрака запах пива, который здорово шибанул мне в нос, когда этот «скиталец» проходил мимо. Это и заставило меня взглянуть правде в глаза. Космы бороды — «лопатой», от уха до уха! — нечесаные патлы... Он прошел мимо меня, глядя в землю. Багровые пухлые веки, как у описанного Борхесом волшебного существа катоблепас, которое всегда ходит, опустив голову («никто не видел моих глаз, вернее, те, кто их видел, умерли»).

К счастью, этот не взглянул на меня.

— Куда же вы пропали? — прошептала я, когда Жан появился снова. И ведь опять возник, как по мановению волшебной палочки, откуда-то из-за могильной плиты!

— Извините, задержался, — как ни в чем не бывало произнес он. — Здесь, знаете ли, есть очень любопытная менонитская стела с довольно редким вариантом эпитафии. Я, кажется, упоминал, что занимаюсь их изучением?

Пропустив его вопрос мимо ушей, я кивнула вслед удаляющейся странной фигуре:

— Что это было?

— Это? Это наш сторож, — не слишком охотно объяснил Жан.

— Вот как? Тот самый сторож, который «лучше бы не пришел»?

— Именно.

— Как же я испугалась! — пробормотала я.

— Чего?

— Да меня предупреждали: есть тут какой-то... Говорят, с ним шутки плохи!

— То есть?

— Не рекомендуется встречаться с ним взглядом... Легенда!

Мне показалось, в глазах моего друга промелькнуло что-то похожее на усмешку.

— Однако не удивительно, что наш сторож вас напугал, — вполне, впрочем, серьезно заметил он. — Это действительно довольно странная личность.

— Сторож... — растерянно повторила я. — Так вот почему от него так пахнет пивом!

Я оглянулась.

О, ужас!.. Косматый и свирепый смотрел нам вслед.

* * *

— Элжбета, вы никого не забыли?

— О чем это вы, Эмма?

Желтые столики кафе выглядят, как чудом не унесенные осенними порывами ветра листья. С реки дует и несет холодом и сыростью. Но на летней веранде еще очень приятно посидеть. И мы с моей новой приятельницей снова были здесь.

— Мне кажется, вы забыли еще одного скитальца!

— Вот как?

— Вчера я его видела. Но, — я иронически усмехнулась, — мне показалось, от этого призрака здорово несет пивом. Как вы думаете, такое возможно?

— Почему же нет? — вскинула тщательно выщипанные брови пани Элжбета. — Вполне даже возможно! Однажды в нашем зале номер пять экскурсанты обнаружили на кружке для грога... знаете что?

— Что?

— Волосок от бороды! Видите ли, на кружках для грога есть такое специальное ситечко, чтобы пряности, с которыми варят грог, не попали на рыцарскую бороду во время пития. Так вот за это ситечко чей-то волос и зацепился!

— Жан говорит, что там, на кладбище, нам встретился просто сторож...

— Вы видели Тадеуша?

— Предпочла бы избегать таких встреч! Приятная личность, ничего не скажешь...

— Перестаньте, Эмма, — не поддержала меня моя приятельница. — Что вы такое вообразили? Тадеуш — безобиднейший чудак.

— Но что он делает на кладбище?

— Все просто. Видите ли, некоторое время назад пану директору пришла мысль создать на месте рыцарского кладбища выставку исторических элементов и архитектурных деталей. Собрать с забытых сельских кладбищ сохранившиеся рыцарские надгробия, привести в порядок наши... Заметьте, я эту идею никогда не одобряла! Уж вы мне поверьте — мертвых лучше не беспокоить. Еще моя бабушка говорила: на кладбище должно быть тихо, и чем реже там появляются живые, тем лучше. Лучше всего, когда могилки зарастают нежной зеленой травкой-муравкой...

— А поминать?

— Поминать мертвых надо в церкви, дорогая.

— Ах, вот что... Так, а что же ваш сторож?

— Дело в том, что на самом деле по профессии пан Тадеуш резчик по камню. Говорят, был когда-то отличным мастером. Так вот, перед своим отъездом наш директор попросил Тадеуша заняться надгробными плитами...

— Веселое занятие, ничего не скажешь!

— Надгробия сейчас свозят сюда из разных мест. Я уже сказала — иногда с забытых сельских кладбищ. Поскольку некоторые повреждены, Тадеуш занимается их реставрацией.

— На ночь глядя?

— Много работы! Часто работает и дотемна... А поскольку он еще и сторож, то и ночует в замке.

— Это заметно, — вздохнула я.

— Что именно?

— Что ему даже побриться некогда... Почему он так выглядит?

— Это правда, — вздохнула Элжбета, — пан Тадеуш у нас с некоторыми странностями.

— Какими именно?

Но приятельница пропустила мой вопрос мимо ушей.

— Да ведь все мы «немного того», если присмотреться, — лишь пробормотала она.

Я не нашла что возразить.

Неожиданно для меня самой пани менеджер открыла некую потайную дверцу в моей душе. Мне захотелось рассказать ей о том, о чем я никогда ни с кем не говорила.

Глава 7

С утра небо в низких серых тучах. Дует резкий северный ветер, напоминая даже уже не об осени, а сразу о зиме. Похолодало и в моей Угловой башне. Всего лишь от северного ветра. А что будет зимой? Надо полагать, Жан Ле Мур, конечно же, позаботится об этом! Ведь даже за самый короткий рабочий день при отсутствии электричества я тут закоченею.

Придется сносить инвентарные книги с описями вниз? Но домой уносить музейное имущество нельзя, строго запрещено — вот в чем дело! Внизу же, в музее и в офисах администрации, и так не хватает свободных и теплых помещений. Потому-то мне и приходится сидеть тут — в башне, под самыми облаками.

А что делать с северным ветром? Брать с собой грелку? Старинный чугунный утюг с углями?

(Надо сказать, что в прежние времена у рыцарей проблем с обогревом в замке не было. В огромном замке всегда было тепло. Две гигантские печи, в чреве которых до сих пор сложены огромные полевые камни, валуны, протапливались так, что камни эти раскалялись докрасна. На протопку шли целые бревна. От печей по всему замку проложены узкие каменные тоннели — воздуховоды. Достаточно было открыть в комнате круглую чугунную заслонку, и из проходящего под полом канала шел нагретый теплый воздух. Там, куда не дотягивались воздуховоды, были камины.)

Рабочий день я начала с кофе из термоса — чтобы не замерзнуть. Ветер дул, свистел за окнами башни. Я куталась в куртку, согревала пальцы, уже не попадающие по клавишам ноутбука, дыханием. И тут...

Это были шаги. Но не Жана. Ле Мур всегда появляется неслышно, я никогда не слышу, как он входит. А сейчас раздавались тяжелые шаги. Медленные и тяжелые шаги. И их затянувшееся приближение само по себе нагнетало тревогу. В их приближении словно была нарастающая угроза.

Еще шаг, еще... Я уговаривала себя не бояться и

все равно чувствовала, как напряглась в ожидании опасности спина.

Дверь с треском распахнулась...

Это был он!

С багровыми опухшими веками.

Он постоял на пороге. И, не произнеся ни слова, удалился. Нет, глагол «удалился» — это слишком элегантно сказано. Удаляется Жан... Этот протопал вниз по ступеням, как слон. И я еще долго — бум-бум — слышала, как содрогаются под его грузной тушей ступени лестницы...

А через некоторое время вдруг снова — медленные и тяжелые шаги.

Снова его шаги на лестнице!

Он, кажется, просто взялся меня терроризировать. Психологический террор!

Еще шаг, еще... Я опять уговаривала себя не бояться и опять ничего не могла собой поделать.

И снова дверь с треском распахнулась...

В мою каморку с грохотом покатились поленья.

Пан Тадеуш бросил на пол вязанку дров.

— Пора у вас протопить! — услышала я.

У него жуткий хриплый и низкий голос, под стать всему остальному. Вполне завершенный имидж, ничего не скажешь.

— Что вы сказали? — испуганно переспросила я. — Протопить?

— Камин... Если его затопить, пани, будет тепло.

— Ах да... камин! — Шок от его появления проходил, и я стала понимать смысл его слов.

Он протопал к камину.

— Это, наверное, господин Ле Мур попросил вас? — пролепетала я.

— Что-о?! — Он грузно повернулся ко мне.

— Я говорю, это, наверное, господин Ле Мур заметил, что тут, в башне, холодно и попросил вас принести дрова? — повторила я. Надо же, это «чудовище» еще и тугоухо!

Какой-то странный звук сотряс каменные стены моей башни. С трудом я догадалась, что это был его смех.

— С чего вы взяли, пани, что лемуру бывает холодно?

И пан Тадеуш стал укладывать дрова в камин.

Комната наполнилась дымом...

Какая, однако, непочтительность. И что это он имел в виду? Жана, конечно, не назовешь «горячим парнем», что правда, то правда. Ле Мур не словоохотлив, холоден, высокомерен, худ, высок... В общем, мужчина моей мечты.

* * *

Все-таки мне очень хочется понять, что происходит за стеной моей квартиры. В самом-то деле: я никого там не вижу, а музыка слышна. И это обстоятельство не оставляет меня равнодушной.

И вот что я решила сделать. Не имея до сих пор ответа от домовладельца Красовского — он так и не откликнулся на мой Е-мейл, — я решила пойти в полицию. Ну ладно, в замке всякие там монеты, смешки, развевающиеся белые плащи... В конце концов, меня это не касается. Но то, что творится за стеной моего дома, мне совсем небезразлично.

Однако что же я скажу полицейским? Скажу так: в квартире, где никто якобы не живет, на самом деле кто-то живет! Разве это не достаточный повод, чтобы обратиться в полицию?

...Я сразу окрестила его про себя пан Усы. Он был в высшей степени живописный тип: стать, пузо, роскошные усы, и вообще... Пан полицейский был похож на персонаж из исторического фильма «Огнем и мечом». И как могла, я объяснила этому пану полицейскому, что меня волнует.

Получилось глупо. Получилось, что меня волнует музыка в соседней квартире.

— Значит, музыка? — с некоторой ленцой в голосе повторил за мной пан Усы.

— Да!

— Вас беспокоит музыка в чужой квартире?

— В общем, да...

— Вы не любите музыку?

— Нет, почему же... Все дело в том, что я никого там не вижу!

— Разве вашим соседям обязательно знакомиться с вами?

— Нет, конечно, но...

— Вам так сильно мешает эта музыка?

— Нет, я же сказала. Скорей это даже приятные мелодии. И, знаете, чувствуется мастерство...

— Ну, вот видите! — Пан Усы усмехнулся.

Какая я дура, еще ляпнула зачем-то про мастерство! Получается, что меня обслуживают по высшему разряду — ублажают хорошей музыкой, а я еще и жалуюсь.

Между тем пан полицейский смотрел мимо меня.

Он смотрел на холодильник, стоявший в углу его кабинета. И не надо было обладать умением предвидеть даже на пятнадцать минут вперед, чтобы догадаться, что он сделает, когда за мной закроется дверь. Ясно же — достанет из холодильника запотевшую бутылочку пива!

— У нас и так много ложных вызовов, пани, — довольно строго заметил пан Усы, отводя взгляд от холодильника. — И надо вам сказать, это карается законом. Могу, например, сообщить вам сумму штрафа и степень ответственности за ложные сигналы.

— Нет-нет, необязательно...

— Так что давайте не будем.

— Давайте, — согласилась я и направилась к двери, не в силах видеть, как пан Усы мучается, пронзая взглядом холодильник и предвкушая запотевшую бутылочку пива.

— Пани! — Он вдруг остановил меня, когда я была уже почти у самого порога.

Я оглянулась.

— Да?

— Не могу вспомнить...

— Что?

— Где я вас уже видел?

— Правда?

— Понимаете... Откуда-то я вас знаю!

— Неужели?

— Но я вспомню, вы не волнуйтесь!

— Я не волнуюсь, — несколько все-таки заволновавшись, заметила я.

— Не смею вас задерживать, пани!

Полицейский поднялся из-за стола и открыл мне дверь... Воистину, поляки — последние рыцари в Европе.

* * *

Начало очередного рабочего дня в моей — я про себя уже называю ее только так — Угловой башне. Открываю дверь в Studierzimmer, китайской метелкой смахиваю с амбарных книг пыль. Она набирается тут мгновенно. В отличие, кстати сказать, от дома на улице Свентого Духа, где с трудом найдешь пылинку.

Вслед за тем на лестнице раздаются шаги. Идет это «косматое чудовище» — пан Тадеуш. Сторож молча приносит дрова. Разжигает камин.

Я изо всех сил стараюсь привыкнуть к его появлениям — холод, как и голод, не тетка. И надо сказать, если не обращать внимание на его прическу и прикид состарившегося хиппи, пан Тадеуш кажется мне теперь не таким уж и страшным. Выяснилось, например, что у «косматого духа древних прусских болот и лесов» вполне обыкновенные глаза. Правда, только в том случае, если накануне пан не слишком накачался пивом и может разлепить свои опухшие багровые веки.

Так вот, сегодня пришел пан Тадеуш, и я своими глазами увидела, как он, когда огонь разгорелся, что-то бросил в камин. Горсть... горсть чего-то... каких-то камешков! Не слишком он, правда, метким оказался — пива надо меньше пить! — потому что один камешек в огонь не попал. А откатился и упал в стороне, недалеко от камина.

Когда сторож ушел, я принялась ползать на коленях, разыскивая «это».

Нашла...

Теперь-то мне понятно происхождение странного запаха, который я с некоторых пор ощущаю в

Studierzimmer. У жара в камине словно привкус бобового супа.

Разумеется, о проделках своего истопника я тут же рассказала пани Элжбете.

— Чтобы это могло значить? Полюбуйтесь...

— Черный боб? — Она взяла в руки мою находку. — Откуда он у вас?

— Тадеуш бросает в камин! — пожаловалась я. Элжбета вздохнула:

— Вас так беспокоит дым от сожженных бобов, Эмма?

— Не очень...

— Слава богу! Разве этот дым очень едкий?

— По правде сказать, не слишком.

— У вас болит от него голова?

— Нет...

— Ну, вот и не беспокойтесь.

— Правда?

— Это не опасно! По крайней мере, для вас.

— Но зачем Тадеуш это делает?

— Кажется, я уже вам говорила.

— О чем? О свойствах черных бобов или о странностях вашего сторожа?

Элжбета лишь пожала плечами.

— Лично мне интересны подробности! — настойчиво произнесла я.

— Это долгая история, Эмма...

— Я не тороплюсь!

— Ну, хорошо... — Моя приятельница вздохнула. — Возможно, вы уже слышали о знаменитой Хронике ордена?

Я кивнула.

— Так вот... Хроника ордена повествует, что в августе 1378 года от Рождества Христова, на следующий день после похорон одного из советников великого магистра, было обнаружено, что каменное надгробие на его могиле, «украшенное тройчатым листком клевера»...

— Что?

— Было сдвинуто с места!

— Вау! Кто-то посмел потревожить могилу советника великого магистра?

Элжбета пропустила мою реплику мимо ушей.

— Говорят, — продолжала она, — это был один из самых значительных и таинственных людей в ордене. Серый плащ! Француз, родом из Берри. Лукавейший интриган, умевший устраивать несколько интриг одновременно. И человек образованнейший. Он настолько удивлял своими познаниями современников, что они видели в нем колдуна, умевшего попадать в дома, не проходя ни в двери, ни в окна. По преданиям, его воспитали три ученые женщины. Можете представить себе, какая концентрация ума и коварства?

— С трудом...

— Но и это еще не все!

— Разве?

— Вам известно имя англичанина Роджера Бэкона?

— Что-то слышала... Алхимик?

— Алхимия интересовала сэра Роджера лишь как способ продления жизни.

— Ах, вот что! Старая добрая «идея бессмертия»?

— Вы правы, идея старая. Корни ее уходят в глубину веков, в Китай. А в Европе этой идеей заинтересовались алхимики. Еще в тринадцатом веке. Число не очень, правда?

— Не очень. Я не слишком суеверна, но все же не люблю его.

— Так вот, в тринадцатом веке алхимия обрела свое наивысшее могущество. Видите ли, до того считалось, что продолжительность человеческой жизни неизменна. Что же касается сэра Роджера Бэкона, то он нисколько не был согласен с этой медицинской догмой.

— Вот как?

— Если некоторые животные могут жить в течение столетий... Если примитивные животные обладают такой способностью...

— То?

— Вполне логично предположить, что и продолжительность жизни людей должна быть в потенции гораздо большей. Так, во всяком случае, утверждал сэр Бэкон.

— Вплоть до бессмертия, не так ли?

— Вы сами это сказали, не я! Во всяком случае, существует много примеров того, как людям удавалось сделать свою жизнь на удивление долгой, открыв некоторые секреты... создав некие тайные средства...

— Например?

— Ну, научившись готовить особые напитки...

— И что же?

— Так вот, алхимия интересовала Роджера Бэкона именно как средство продления жизни. Если одну субстанцию можно превратить в другую: например, ртуть — в золото, то и смертность человека можно превратить в бессмертие. Впрочем, так же считали и другие средневековые алхимики.

— Какое все это имеет отношение к нашему замку?

— На чем, как вы думаете, основывалось влияние и могущество того француза из Берри, таинственного и могущественного советника великих магистров, столь много способствовавшего возвышению замка?

— На чем же?

— Именно он, последователь сэра Роджера Бэкона, покровительствовал в замке опытам алхимиков. Существует предание, что казна ордена пополнялась именно золотом алхимиков. Он, так сказать, курировал и опыты по созданию снадобья, продлевающего жизнь.

— И что же?

— Предания утверждают: эти опыты увенчались успехом.

— Ха-ха! Есть доказательство?

— Есть.

— Какое же?

— Он сам!

— ?!

— Видели вы в крипте надгробную плиту со стершейся надписью?

— Кажется, да... Ту, что с листком клевера?

Элжбета кивнула:

— Это почти единственное настоящее надгробие, сохранившееся в замке за столетия разрушений и войн.

— И что же?

— Некоторое время назад кое-кто своими собственными глазами видел, что это каменное надгробие...

— Что?

— Было сдвинуто с места!

— Элжи, я что-то не заметила... Лежит как ни в чем не бывало!

— Потому что потом могильная плита снова вернулась на свое обычном место. Вот в чем дело, Эмма!

— Мало ли вандалов!

— У нас мало.

— Неужели?

— В Тальборге вандалов совсем нет.

— Но, Элжбета, дорогая...

— Иногда он появляется среди людей!

— Зачем? — скрывая усмешку, поинтересовалась я.

Пани на мгновение задумалась.

— Говорят, что он ищет свой клад.

— Потерял?

— Замок многократно перестраивался, вот в чем дело. Например, при императоре Фридрихе здесь все переделали, и очень здорово. Говорят, что с той поры он и стал появляться.

— Вот как?

— Бродит! Не может найти спрятанный им клад... Больше всего его боятся реставраторы, на них он особо зол.

— Значит, мне бояться нечего?

Пани Элжбета оставила вопрос без ответа. (А я — вот глупость! — сочла тогда ее молчание знаком согласия. Хотя нет ничего ненадежнее этого странного утверждения: «Молчание — знак согласия». Ведь все молчат по-разному. Одни молчат потому, что и правда согласны. Другие просто не хотят говорить. А у третьих и вовсе не разберешь, что скрывается за их молчанием.)

— Став тенью, он является живым словно наяву, — помолчав, продолжала она.

— Вы это всерьез?

— В отличие от других теней, Эмма, он умеет казаться живым, вот в чем дело... Но, учтите, только казаться!

— Но как ему это удается? Вы же сами недавно объясняли мне, что «они рядом», но не могут перейти грань, отделяющую мир теней от мира живых?

Пани менеджер отвела глаза в сторону.

— Элжи, у меня ощущение, что вы все-таки что-то еще хотите мне сказать?

— Да нет, ничего...

— Ничего?

Пани лишь уклончиво пожала плечами.

— А как имя этого советника?

Элжбета молча пожала плечами:

— Неизвестно. Надпись на его могильной плите почти стерта. Сохранилось всего несколько букв.

— Значит, Никто? — удивилась я.

Она кивнула.

— Мы в замке зовем его Тень.

— Вот как?

— Ведь у него, как и полагается призраку, нет тени, Эмма. Он сам — Тень!

Глава 8

День выдался ясный, по-летнему жаркий, и в обеденный перерыв я отправилась, как обычно, позагорать.

То, что я предпочитаю розовый сад кладбищу, естественно. Но чтобы попасть туда, мне надо, повторяю, выйдя из моей башни, миновать могильную часовню гроссмейстеров, старую лиственницу и рыцарское кладбище...

Двери часовни-усыпальницы были отчего-то открыты. Возможно, недавно прошла экскурсия. Глупость, конечно, но, повинуясь необъяснимому порыву, я заглянула внутрь. И... Наверное, на меня подействовали странное поведение Тадеуша, последние наши с Элжбетой разговоры, обстановка кладбища... В общем, мне показалось, что в полутьме часовни что-то мелькнуло. Чья-то тень. Даже не силуэт, а что-то летучее и зыбкое, похожее на взмах плаща... серого плаща!

— Эй! — машинально окликнула я. Затем вгляделась получше.

Никого.

Я хотела уже уходить, но странная деталь привлекла вдруг мое внимание. Час от часу не легче! На одной из могильных плит были разбросаны... черные бобы. Тоже! В порыве необъяснимой паники я опрометью выбежала из усыпальницы.

И наткнулась на Жана.

— Что с вами?

— Там...

Я замолчала. То, что до сей поры казалось мне забавным, теперь... Теперь вдруг выяснилось, что кожа у меня в мурашках! И не от холода — день-то был еще по-летнему теплым. От страха! Именно появление этих жалких гусиных мурашек и потрясло меня более всего. Я-то всегда считала, что у меня отличные крепкие нервы. Нервы спортсменки. Лучницы, которая редко промахивается и умеет сосредоточиться, чтобы поразить цель.

— Так что же там? — настойчиво повторил Жан.

— Тень... — неуверенно произнесла я.

— Что?

И, волнуясь, я рассказала Жану все — о черных

бобах, о Тени, о разговорах с Элжбетой... И о взмахе плаща в часовне!

В ответ он недовольно нахмурился:

— Вы давно были у врача?

— Что?

— Меня волнует ваше состояние, Эмма. Вы взвинчены, нервны...

— Вы полагаете?

— То вы слышите, как в замке кто-то хохочет, то как в сумерках звенят несуществующие монеты!

— Ага... А еще как тот, маленький, стучит доспехами!

— Мне кажется, ваши бесконечные разговоры с пани Элжбетой о скитальцах всерьез истощили вашу нервную систему. Неужели вы ей верите?

— Но я слышала! Я сама слышала и звон монет, и...

— Но ведь это могут быть и чьи-то шутки? — прервал он меня. — В городке, где все помешаны на призраках, — простор для шутников. Знаете, для местной молодежи замок — главное место для развлечений.

— Вы думаете?

— Хотя я не исключаю и другого варианта...

— То есть?

— Что все это серьезно.

— Не розыгрыш, а серьезно? Вы тоже так думаете?

Он усмехнулся:

— Какая же вы наивная!

— Но вы же сами только что сказали: не розыгрыш, а серьезно. Или нет?

— Сказал. Но неужели вы, разумный взрослый

человек, Эмма, действительно подумали, что я серьезно отношусь к существованию призраков и духов?

— Нет?

Он рассмеялся.

— Тогда что же вы имели в виду?

— Я имел в виду, что, возможно, кто-то разыгрывает вас, но не в шутку. Всерьез! Хочет запугать. Изматывает нервы. Напрягает психику. Как оказалось, не слишком устойчивую.

Я не нашла что возразить. Он попал в самую болезненную для меня точку.

Дело в том, что моя сестра Элла исчезла несколько лет тому назад при странных обстоятельствах. Ее не нашли. И я так и не знаю, что с ней случилось. Наверное, Элли уже нет в живых. Конечно, это наложило сильный отпечаток на мою психику. Если совсем честно, то мои «крепкие нервы», хваленые нервы спортсменки и лучницы, которая редко промахивается, стали сдавать еще до переезда в Тальборг. Может, оттого я и сошла прежде времени с дистанции...

Но неужели Жан прав насчет розыгрыша?

* * *

Уткнувшись в книгу, я снова украдкой наблюдала за Тадеушем. И не напрасно.

Когда огонь разгорелся, сторож опять бросил туда горсть черных бобов.

— Зачем вы это делаете? — остановила я его вопросом, когда, поправив в камине хорошо разгоревшиеся поленья, сторож направился к дверям.

Тадеуш остановился.

— Чего вы добиваетесь? Пугаете меня? Разыгрываете?

Оглянулся он не сразу. Наконец он все же взглянул на меня. Взглянул исподлобья.

— Вам так интересно, пани, для чего нужен дым от черных бобов? — медленно произнес он.

— Очень!

— Разве пани не знает, от чего оберегают черные бобы?

— Не знаю, пан Тадеуш. Точней сказать, меня не слишком устраивает версия с призраком!

— А напрасно, паненка. Ведь бобы — самое верное средство от опасных гостей.

— Гостей? Кто же сюда ходит, кроме вас и меня? Да еще месье Жана?

— Не все открыто нашим глазам, пани, даже когда они открыты...

— Я не очень люблю загадки, пан Тадеуш. Хотелось бы все-таки знать, чем же эти ваши гости так опасны?

— Да все уже сказано в Ветхом Завете, пани.

— О чем это вы?

— «Давай найдем господину моему царю молодую девицу... — пробормотал он, — и господин мой царь получит ее тепло».

— Не очень понимаю.

— «И девица была очень красива и стала подругой... и прислуживала ему. Но король ее так и не познал!»

— Однако о чем это вы все-таки, пан Тадеуш?

Он вдруг сделал несколько резких шагов в мою сторону, наклонился ко мне и, почти касаясь своей жуткой бородой моего лица, хрипло прошептал:

— У него только одно на уме, пани...

— У кого? И что именно на уме? — почти теряя сознание от страха, тоже прошептала я.

— Забрать!

— Что?

— Vita... Жизнь!

И, не затрудняя себя дальнейшими объяснениями, мой истопник развернулся и ушел.

* * *

— Что за бред он несет о жизнях молодых девушек, Элжбета? Что происходит? — довольно испуганно набросилась я при встрече с вопросами на мою новую приятельницу. — Какой-то царь...

— Царь?

Как обычно, по установившейся уже традиции, по окончании рабочего дня мы встретились с ней в кафе.

— Пан Тадеуш сказал: «Давайте найдем господину моему царю молодую девицу... и господин мой царь получит ее тепло».

— Ах, это... — Она вздохнула — Видите ли, дорогая моя, это старый и довольно верный способ остановить старость.

— Что?

— У молодых девушек, Эмма, очень сильная витальность. И потому в былые времена тем, кто «стар и согбен», рекомендовалось найти молодую девицу. Старинный рецепт, очень когда-то популярный.

— Неужели помогало?

— Как вам сказать... Во всяком случае, у крыс, например, регулярное спаривание с юными самками удлиняет жизнь самцам. Это факт.

— А у людей?

— Научно это, конечно, не слишком обоснова-
но. — Пани пожала плечами. — Но в тринадцатом
веке именно так и считали: единственный способ
остановить старение и обратить вспять процесс рас-
ставания с жизнью — это получить витальность молодой девушки.

— Интересно...

— Рассуждали просто: если некоторые болезни
передаются при контакте, то, значит, подобным же
образом передается и здоровье.

— При чем тут только черные бобы, которые он
бросает в огонь?

— Не знаю, Эмма!

У моей приятельницы, пани менеджера по кадрам, надо заметить, при всей ее словоохотливости
есть неприятная манера прерывать разговор, когда
ей это заблагорассудится. И уж если это случилось,
из нее и клещами слова не вытянешь. Как многие
старушки, она довольно упряма. Но на сей раз я не
была намерена оставлять ее в покое.

— О чем все-таки идет речь? — весьма настойчиво повторила я.

Моя собеседница боязливо оглянулась в темноту
вечера, обступившую освещенные столики кафе, и,
близко наклонившись ко мне, прошептала:

— Возможно, Тадеуш хочет вас защитить.

— Что?

— Говорят, он забирает все без остатка!

— Что?

— Все дотла — всю энергию жизни, всю ее силу!
Он уносит их с собой — огонь души и тепло тела,
все, что делает человека живым. Забирает жизнь.
Она нужна ему самому!

— Он?

— Тень!

— Опять эта легенда...

Элжбета заговорщически понизила голос:

— Понимаете, была тут одна история...

— История?

— Да. Эту девушку даже хоронили в закрытом гробу!

— Что, так была изуродована?

— В том и дело, что нет, — Элжбета вздохнула.

— Нет?

— Когда ее нашли, она была мертва, прекрасна и... очень-очень бледна.

— Похоже на начало сказки!

— Если так, то у этой сказки нет счастливого конца.

— Вот как?

— Девушка выглядела так, как будто просто заснула. Никаких повреждений или следов насилия. Ее нашли рядом с Угловой башней. И поначалу решили, что, возможно, она упала. Переломов, правда, не было, но... Говорят, так бывает. Она лежала на ворохе осенних листьев... Пан Тадеуш по осени сгребает их в большие высокие кучи. И поначалу решили, что она упала на ворох осенних листьев и потому не разбилась. Причиной же смерти стал шок. Шок от падения, от того безумного страха, который испытывает человек, летящий с такой высоты.

— И что же?

— Но потом...

— Что?

— Потом, насколько я знаю, у полицейских медиков возникли некоторые затруднения с диагнозом. Нигде ни кровинки! Но отчего же наступила смерть? Молодая цветущая девушка... И тогда появилась другая версия. Знаете, из разряда «люди всякое болтают».

— Что же они болтали?

— Будто бы Он забрал у нее vita, жизнь.

— Кто?

— Тень.

— Не смешите!

— Не вижу ничего смешного. Разве не странно — не разбиться при падении с такой высоты? Потому и гроб закрыли — полиция, полагаю, распорядилась, чтобы не сеять панику. Люди и так были перепуганы: бедняжка-то и впрямь была как живая — цела-целехонька. — Пани нахмурилась, пристально глядя куда-то в темноту мимо меня.

Я оглянулась и вздрогнула. В густом бархате сумерек — мне показалось? Или я снова увидела? — мелькнуло что-то зыбкое, неуловимое, похожее на взмах плаща, сотканного из серой паутины. Неуловимый промельк чьей-то тени...

— «Колдун, знающий тайну бессмертия и умеющий продлевать жизнь!» — снова понизив голос, произнесла пани Элжбета. — Так его называли, как утверждают Хроники, еще при жизни... Для того, дорогая, и нужны ему были жизни молодых девушек!

— Кстати, уж не ваш ли угрюмый сторож, что весь день проводит на кладбище, а ночью бродит по замку, и засвидетельствовал, что могильная плита, украшенная тройчатым листком клевера, была сдвинута с места? — с трудом сохраняя иронию, усмехнулась я. — Не он ли?

Элжбета снова отвела глаза в сторону.

— Да уж, если пить столько пива, все возможно! — Я принужденно засмеялась.

— Вы знаете, Эмма, что такое глупый смех? — не поддержала моего веселья приятельница.

— Что?

— Глупый смех — это когда ты смеешься над кем-то или над чем-то и кажешься себе очень умным.

— Вот как?

— А кто ты на самом деле — выясняется потом!

* * *

Жан тоже заметил дым.

— Вас не беспокоит дым от камина, Эмма? — в своей аристократичной манере, но обеспокоенно, с видом насторожившейся гончей, потянул он носом.

— Да нет. Не очень.

— Однако он какой-то странный!

— Может, поэтому?

Я протянула ему на ладони черный боб, найденный на полу рядом с камином после ухода сторожа.

— Знаете, что это такое, что за растение?

— Понятия не имею... Я ведь не садовод. — Жан вдруг заторопился и направился к двери.

— Куда же вы?

— Мне пора!

* * *

Неожиданный визит — пан полицейский все-таки приехал!

В приличное время, часов в десять утра, у моего газона аккуратно, не примяв травку, притормозил белый полицейский «Форд». И пан Усы, не торопясь, прошествовал по дорожке к дому.

— Значит, пани говорит, музыка? — Он перешагнул через заборчик и взошел на крыльцо соседей. И тоже постучал в дверь. И ему тоже не открыли.

Потом пан Усы прошел под окнами. Потрогал запертые ставни, оглядел травку газона.

— Значит, музыка играет, пани?

— Верно.

— И никого нет?

— Именно.

— А следов незаконного проникновения что-то не видно. Тем более взлома или чего-либо подобного, надо вам заметить. Осмотр не подтверждает ваши слова.

— Правда?

— Правда.

— Тем не менее я ясно слышу по ночам звуки фортепьяно!

— По ночам?

— Да!

— Ну-ну... Скажу вам по секрету, пани: если честно, в нашем городке с его замком все немного помешаны на призраках.

— Вы хотите сказать, что мне мерещится?

Пан Усы уклончиво пожал плечами.

— Вы живете одна? — поинтересовался он.

Я кивнула.

— У вас много знакомых?

— Не слишком.

— Вы часто их навещаете?

— Совсем нет.

— Вот как?

— А в чем дело? Вам это кажется странным?

— Видите ли, пани, я ведь вспомнил... Вспомнил, где я вас видел.

— Правда?

— Я видел вас возле дома пани Зборовской. В день ее смерти!

— Пани Зборовской?

— Вы никогда не слышали этого имени?

— Почему же, слышала...

Я растерянно замолчала. Надо сказать, я уже порядком подзабыла про эту пани, от которой, помнится, получила письмо в самом начале своего пребывания в Тальборге и которую столь неудачно навестила.

— Это печальная история, — наконец произнесла я.

— Вот как? И что вы думаете по поводу этой, как вы выразились, печальной истории?

Меньше всего я ожидала такого вопроса.

— Что я думаю? — растерялась я. — По поводу смерти пани Зборовской?

— Вам непонятен мой вопрос?

Только теперь я заметила, что глаза под рыжими бровями у моего собеседника очень колючие. И отнюдь не глупые...

— Почему же, вопрос понятен, пан полицейский...

— Я весь внимание! — подбодрил он меня. Причем с заметным сарказмом в голосе.

— Дело в том, что я ничего не думаю по поводу смерти пани Зборовской.

— Неужели?

— Разве я должна что-то думать по этому поводу?

— А разве нет? — Пан Усы в упор смотрел на меня своими голубыми и неглупыми глазами.

— А что такое? — заволновалась я. Меня уже немного, мягко говоря, удивляла настойчивость его расспросов. — Почему вы об этом спрашиваете? Я ведь только навестила эту пани... То есть — хотела ее навестить!

— А говорите, что не ходите в гости.

— Она меня приглашала.

— Это очень интересный ответ. Если можно, подробнее...

— Она прислала мне письмо. Конверт лежал в почтовом ящике. Пани приглашала меня познакомиться. И я пошла.

— Вы можете показать письмо?

— Мне надо его найти.

— Найдите! Непременно найдите это письмо, пани.

— Постараюсь.

— Всего наилучшего! — И пан Усы направился к своей машине.

— А разве вы не посмотрите, что там внутри дома? — попыталась было я его задержать.

— В отсутствие хозяина?

— Неужели вы отказываетесь даже посмотреть?

— Без ордера проникать в дом?

— Вам надо только взглянуть!

— Без достаточных оснований я не имею права.

— Но...

— Нарушать границы собственности?!

Пан Усы покачал головой. Сел в свой полицейский «Форд» и уехал.

Я проводила его глубоким вздохом.

Странный, очень странный визит. И при чем тут, спрашивается, пани Зборовская?

Накануне, когда я была в полиции, мне показалось, что пану полицейскому откровенно скучны и смешны мои подозрения. Однако он приехал их проверить. И при этом... В общем, мне показалось, что интересует его вовсе не соседняя половина дома, а я. Да, именно я. Я сама.

И поэтому неудивительно, что о своих неудачных попытках познакомиться с соседями в других, как оказалось, пустующих домах «исторического Тальборга» я рассказать пану начальнику полиции уже не решилась.

* * *

С некоторых пор Жан Ле Мур совсем перестал появляться в Угловой башне. Теперь он поджидает меня возле лиственницы.

Сегодня я снова встретила его там, когда возвращалась из замка после рабочего дня. Как это обычно и бывает с нашими встречами, дело было вечером.

Жан проводил меня до дома.

Но не зашел. Опять же, как обычно, на прощание Ле Мур долго смотрел на меня уже так хорошо знакомым мне странным взглядом. Повторяю, я каждый раз как-то слабею, глядя в его льдисто-серые глаза. Надо сказать, я по-прежнему надеюсь, что обеты, которые давал его предок-крестоносец, не распространяются на столь дальнего потомка. Особенно меня волнует обет целомудрия!

— Кстати, Жан... — вздохнула я. — Отчего-то, сколько я ни вглядываюсь в закрытые двери, ставни и жалюзи домов на моей улице, я не нахожу там никаких признаков жизни. Меня удивляет такое безлюдье! Вы его замечали?

— Безлюдье? Разве?

— Представьте: я еще не познакомилась ни с кем из соседей! Невольно задумаешься об одиночестве...

— Вы полагаете, будто знаете, что такое одиночество? — он чуть усмехнулся краешком красивого рта.

— Больше, чем вы думаете.

Такой момент — уж теперь-то он вполне мог бы положить свою руку на мою ладонь — утешить! Но он этого не сделал. Можно подумать все же, что он тоже, как его предок, дал какой-то обет.

— Я попробую узнать, в чем дело, — лишь неопределенно пообещал мой друг.

И исчез. Предоставив мне возможность провести остаток вечера в не слишком уже, надо признаться, приятном одиночестве.

Вздыхая, я выпила чаю. И, как обычно перед сном, вышла на ступеньки — подышать.

Засиделась я на них до луны. Причем, надо сказать, в тот вечер у меня опять кружилась голова. Возможно, этим и объясняется то, что случилось дальше.

Это случилось, когда раскрылись фиалки...

Как я уже говорила, украшение моего дворика — лужайка ночных фиалок. Днем при солнце фиалки почти не видны. Они тускнеют, закрываются и не пахнут. Но ночью, когда я, как обычно, после чая выхожу на крыльцо... Они всплывают облачком среди травы, распускаются! Этакое светящееся в сумерках облачко, лежащее на траве... И аромат... Ясно, что ночь — их время. С полуночи до рассвета наступает время ночных фиалок.

И я всегда жду этого мгновения...

Так вот, это случилось, когда раскрылись фиалки.

Глубоко вдохнув ночной воздух, перемешанный с ароматом разбушевавшихся к ночи цветов, я повернула голову. По привычке, чтобы взглянуть на соседнее крыльцо. Взглянула и...

Мне даже показалось, что от незнакомки и пахло фиалками.

На ступеньках соседского крыльца стояла девушка... Она была красива так называемой детской, не расцветшей красотой и похожа на белокурую итальянку Кватроченто. Крошечный рот, очень высокий, словно подбритый, лоб. Разбросанные по плечам светлые волосы. Почти воздушное, как крылья у мотылька, длинное платье. Свет луны пронизывал это прозрачное платье, словно растворяя его, превращая в жемчужную дымку, в туман...

Практически окаменев, я смотрела на это... по всей видимости, видение, как еще сказать? Поскольку еще мгновение, и девушка исчезла.

Как там сказал пан полицейский? «Ваши слова не подтверждаются»? Ничего себе не подтверждаются!

Что-то в подобном роде уже приходило мне на ум: какая-нибудь бродяжка-хиппушка взяла и вселилась в чужой дом. Хиппи, клошары, бродяжки, беженцы... Сейчас в Европе полно людей, которые вполне готовы занять пустующий дом. Да еще в таком месте! Ведь в исторической части Тальборга ночью вообще никого не видно и не слышно. Одни призраки в замке! Да я... Ведь полицию на улице Свентого Духа и днем с огнем не сыщешь, а уж ночью!.. Пана полицейского, кроме смерти Ванды Зборовской, похоже, вообще ничего не интересует. Он даже не соизволил заглянуть в эту подозрительную якобы пустующую квартиру!

Я все-таки с огромным нетерпением ожидаю ответа от Яна Красовского. Надеюсь, он не расскажет мне какую-нибудь душещипательную историю о привидении этого дома, музицирующем на рояле?

Возможно, все проще. Это смазливое «видение» с рассыпающимися по плечам светлыми волосами и запахом фиалок... Ничего удивительного не будет, если окажется, что неведомый мне домовладелец Красовский разрешил девушке пожить в его квартире. А фирму «Аренда и продажа» он мог просто не поставить в известность.

Почему бы и не разрешить? Наверное, она просто его девчонка.

Чем эта девица, кстати, занимается, кроме музыки?

Выходя на крыльцо, я теперь тяну носом, как кокер-спаниель, натасканный полицией на наркотики. Наверняка покуривает травку. А может, что и посерьезней. Уж больно музыка хороша! Неизвестная, незнакомая мне музыка... Если она сама ее сочиняет, то такой «творческий подъем» без травки вряд ли возможен.

Глава 9

Час от часу не легче! Сегодня после ухода пана Тадеуша из башни я нашла в своей сумке цветы. Открыла ее — и букетик упал на пол.

Что бы это значило? Оставлять девушке цветы? Неужели старый пан Тадеуш способен на такие романтические поступки? Нежное сердце Квазимодо? Не похоже... Да и связка свежих, с резким запахом цветочков не слишком тянет на букет. Пучок! Так хозяйки связывают укроп для засолки.

— Что бы это значило? — поинтересовалась я у Элжбеты, демонстрируя ей «букет».

— Вы хотите сказать, его оставил Тадеуш?

— Подложил! Я бы, пожалуй, так сказала.

— Не бойтесь, они не ядовиты. — Моя приятельница довольно равнодушно оглядела странные красные цветочки. — Может, это и опасно... — пробормотала она, — но не для вас.

— Кажется, я уже слышала от вас что-то в том же роде. Опять какие-нибудь заклинания?

Элжбета лишь пожала плечами:

— По-вашему, красный цветок означает что-то ужасное, Эмма?

— Надеюсь, что нет.

— Тогда что вы так волнуетесь? — усмехнулась пани менеджер по кадрам.

Как я уже успела заметить, Элжбета постоянно защищает пана Тадеуша. И с некоторых пор (предостережения Жана не пролетели мимо моего слуха) меня все больше интересует, что же все-таки скрывается за такой привязанностью?

Тем больше после такой «успокоительной» беседы с Элжбетой меня поразила реакция пани Ядвиги.

— Что это? — встрепенулась пани жена директора, увидев у меня в руке букет, когда, прихватив его с собой, я пришла отдать ей ключ от своей Studierzimmer. Она даже бросила напудривать, штукатурить свои щеки и сморщилась, как будто увидела какую-то мерзость. — Откуда это у тебя, милашка?

— Подарок, — смиренно ответствовала «милашка» в моем лице. Надо сказать, я уже окончательно свыклась, смирилась с неподражаемой манерой общения, присущей этой даме.

— От когой-то?

— Подозреваю, что от пана Тадеуша.

И я протянула Ядвиге букет. Но она отпрянула и не взяла его в руки.

— Вот старый пень!

Надо заметить, сторожа пани жена директора не слишком жалует. «Старый пень» — это еще самая мягкая изо всех характеристик, которыми пани Ядвига одаривает резчика по камню. Что же касается сильных выражений, то тут в сравнении с ней портовые грузчики просто отдыхают.

— Но как называется это растение? — поинтересовалась я, пряча цветы обратно в сумку. Надо сказать, что, пока мы с пани Ядвигой разговаривали, «букет» заметно сник, просто на глазах теряя свою свежесть... Теперь это уже были засохшие, мертво шуршащие цветки, выглядевшие так, будто не меньше года пролежали в гербарии.

— Ш-шмертник! — прошипела пани Ядвига и нервным движением поправила немного покосившуюся левую бровь, насурмленную, как у наложниц в восточных сказках.

Очевидно, речь идет о бессмертниках, подумала я. У пани жены директора, надо заметить, не хватает зубов. Как ни удивительно, но дело обстоит именно так! Отсюда и некоторая ее шепелявость.

— Кинь-ка, дорогуша, подальше такой подарок! — И она сама подальше отодвинулась от багрово-красных цветов, как будто видела перед собой какую-то заразу.

— По-вашему, бессмертник — это что-то ужасное? — уточнила я.

— Дрянь! Хуже не бывает.

— Неужели?

Понятное дело, я не слишком доверяю ботаническим познаниям пани жены директора. И решила, что стоило бы мне все-таки уточнить, что же это за растение. Каково его правильное название и свойства? Может, тогда станет яснее цель столь необычного подношения.

* * *

Наконец-то я получила ответ от домовладельца. Лучше позже, чем никогда! Сначала домовладелец Ян Красовский долго извинялся, что не сразу ответил на мои послания, потому что «не мог добраться до компьютера» (интересно, где же это он был? Где такие места, что нет даже Интернет-кафе? Джунгли, тюрьма?), и не мог позвонить, потому что «вы не сообщили номер своего телефона». (Ой, что правда, то правда. Я, очевидно, так волновалась, когда писала ему — под загадочные фортепьянные переливы! — письмо, что забыла упомянуть.) Но ему все равно, видите ли, «приятно познакомиться, хоть общение и вышло электронным».

Далее содержание е-мейла было следующим: домовладелец Красовский сообщал, что «в его доме никто не живет, квартира пустует»!

Впрочем, что ж тут невероятного... При такой-то работе полиции!

Конечно, получив послание от домовладельца, я вновь перешагнула священную границу собственности — и еще раз позвонила в соседскую дверь. Решила, что надо поговорить с ней, с той девицей.

Напрасно я звонила. Незнакомка, незаконно вселившаяся в чужой дом, мне не открыла. Конечно, можно и этому найти объяснение. Как я, увы, успела заметить, у девушки странный режим: днем она, по всей видимости, спит, а ночью, когда добрые люди отдыхают, музицирует. Типичная сова.

Ладно, пусть домовладелец сам с ней разбирается.

Жаловаться снова пану полицейскому? Я не кокер-спаниель, натасканный на наркотики, и не этот, как его... сотрудничающий с полицией. И потом: одно дело пожаловаться в полицию на необъяснимые музыкальные пристрастия неизвестно кого, и совсем другое — пойти настучать на... ну, в общем, на милую девушку, которая не сделала мне ничего плохо. Ведь надо же где-то жить и курить травку и хиппушкам-бродяжкам.

К тому же... Надо все-таки признаться в этом хотя бы самой себе! Странные звуки фортепьяно по ночам... Я к ним привыкла! Мне с ними отчего-то спокойнее.

Саму девушку, правда, я что-то пока больше не вижу.

* * *

Признаться, меня удивляют явно напряженные отношения пани жены директора со сторожем.

— Между ними явно существует взаимная вражда! — заметила я своей приятельнице Элжбете.

— Да мне самой перекреститься хочется, когда я вижу эти килограммы помады и туши! — с непонятным негодованием воскликнула она, едва речь зашла о пане Ядвиге.

— Но почему она так не любит Тадеуша? Да еще так разволновалась тогда из-за этих цветов...

— А с чего бы им друг друга любить? — с таинственным видом хмыкнула Элжбета.

— То есть?

На сей раз — дело, надо заметить, было после порции виски — пани менеджер по кадрам, которая обычно избегает разговоров о жене директора, разоткровенничалась:

— Видите ли, Эмма, эта женщина появилась рядом с паном директором как-то неожиданно для всех нас. Она в Тальборге недавно...

— И что же?

— А явилась непонятно откуда!

— То есть?

— Никто — понимаете, никто! — не знает, откуда она взялась.

— Ну, мало ли, где находят жен...

Пани Элжбета лишь пожала плечами на мое замечание.

— Не знаю, где остальные, а наш-то директор точно нашел ее на кладбище.

— Что?

— Он там с ней познакомился, вот в чем дело. Ну, вроде бы она туристка, экскурсантка.

— Что значит «вроде бы»?

— Да я же вам уж толковала: не надо было трогать рыцарское кладбище, беспокоить их... А ее имя! Ядвига!

— Имя? Что в нем такого? — удивилась я. — Не сказать, что нечасто встречается.

— Ядвига... — пробормотала Элжбета. — Хотите — верьте, хотите — нет, но так звали женщину, которая отправила на смерть своего мужа.

— То есть?

— Это одна из самых мрачных легенд замка, моя дорогая... Согласно Хроникам, один из командоров казнил невиновного, чтобы завладеть его женой.

— Да, я слышала уже это предание.

— И, судя по всему, та баба была порядочной стервой. По преданию, она сама подбила любовника на преступление, чтобы свободиться от постылого мужа. Того человека повесили. Она же наказана — ее тень осталась в замке. Ее легко отличить от других: на шее у нее метка, знак — след от веревки. Шельма-то помечена!

— Ну и?

— А у нашей-то пани жены?

— Что?

— Замечали? На шее пани Ядвиги всегда по меньшей мере килограмм бус.

— Ну, знаете ли! Есть такой тип дам: чем они старше, тем больше на них краски и украшений. Глупые мужчины, старея, злоупотребляют орденами, увешивая себя ими, а глупые женщины злоупотребляют бижутерией.

— А заметили вы, как она любит свитера с высоким воротом? — словно не слыша меня, воскликнула Элжбета.

— Вы серьезно предполагаете, что...

Пани менеджер кивнула.

— И никто, понимаете, никто из нас не видел, откуда она взялась — там, на кладбище. А пан директор...

— Что?

— Почти сразу после этой странной женитьбы он исчез.

— Так ведь он в командировке!

Элжбета пожала плечами:

— Что-то уж больно долго! Он никогда прежде не оставлял наш музей на столь длительное время.

— Я не очень понимаю. Что вы все-таки хотите сказать?

— А то! Похоже, Тень — не единственный, кто научился преодолевать заветную черту.

Услышав последнюю фразу, я просто опешила — ну что за немыслимое предположение! Опешила настолько, что даже осмелилась возразить:

— Но я думала, что... В общем, я, конечно, в этом деле ни уха ни рыла... Но я думала, дух — это что-то бесплотное. Шорох, дуновение. На мой непросвещенный взгляд.

— Вы правы, но лишь отчасти. Видите ли, у духов, конечно, нет определенной и постоянной формы.

— Вы меня успокоили.

— Это некое пламя, свечение, эфирная искра.

— Свечение?

— От темного до рубинового, в зависимости от того, насколько чист или нечист дух.

— Ах, вот как...

— Но! Дух вполне может принять форму для вас зримую. И даже осязаемую! Ту форму, какую он желает.

— И?

— И являться вам либо во сне, либо наяву.

— Ну, пани Элжбета! В любом офисе, где жена начальника-подкаблучника села всем на шею и руководит, так сказать, в хвост и в гриву вместо него, вам расскажут страшную историю и приведут сто доказательств, что на самом деле она явилась с того света.

— Честно говоря, мне давно хочется кое-что проверить... — задумчиво, не слушая мои возражения, произнесла моя собеседница.

— Проверить?

— Та Ядвига была простолюдинкой...

— И что же?

— В те времена простолюдины не знали грамоты.

— И?

— Хотите эксперимент?

— То есть?

— Вы же знаете, в кабинете директора музея много книг.

— И что же?

Пани Элжбета наклонилась к моему уху и принялась шептать.

На следующий после этого разговора день я решила шутки ради проверить то, о чем говорила Элжбета.

— Сколько книг! — вздохнула я в роскошном кабинете у пани Ядвиги, занося ключи. — Вы, наверное, все их прочитали?

— А то!

Замечательная все-таки женщина пани Ядвига. Ну и лексикончик у нее...

— Не посоветуете, что почитать?

Она только отмахнулась.

Я наугад взяла с полки том. Это оказалась «История франко-прусских войн».

— Интересно, о чем эта книга? — Я протянула пани жене директора «Историю».

Та взяла у меня том и принялась листать.

— Маленько подзабыла... — пробормотала она, глядя на раскрытые страницы.

То, что происходило, не умещалось у меня в сознании — пани жена директора держала книгу вверх ногами!

* * *

Сговорились они все, что ли, меня разыгрывать? А что, если Жан прав насчет «шуток всерьез»?

Еще недавно мне это было бы смешно. Теперь уже нет! Хуже всего, что сама таинственная, мистическая обстановка Тальборга и его замка, кажется, все больше затягивает меня.

Вчера я, например, опять «видела», возвращаясь с работы, рыцаря в развевающемся плаще, поспешающего по коридору в Туалетную башню. Во всяком случае, в глубине коридора что-то подозрительно белело.

Иногда за моей спиной роняют монетки казнокрады... Раздаются смешки поварих... Хочешь не хочешь, а все эти проделки призраков — звон несуществующих монет, странный смех в пустынных коридорах — да еще запах бобовой похлебки в камине моей Studierzimmer поневоле взвинчивают нервы.

Особенно старается малютка-рыцарь. Он бряцает забралом своих детских доспехов каждый раз, когда я пересекаю зал доспехов. Крайне неудачная шутка... Сумерки, гулкие своды, мои одинокие шаги... и вдруг — клац! Конечно, я всякий раз вздрагиваю. От неожиданности...

Сохранять здравомыслие и ироничное отношение к происходящему все труднее. Вообще то, что новичку в новой обстановке кажется абсурдом, перестает быть таковым по мере того, как он становится старожилом и врастает в среду. То, над чем смеешься поначалу, начинает восприниматься все серьезнее, потом становится привычкой, потом традицией. И вот ты уже готов с пеной у рта отстаивать полную серьезность того, что прежде считал абсурдом. Вот почему надо почаще переезжать.

* * *

Сегодня я спустилась из своей башни пораньше. До закрытия музея оставалось еще довольно много времени, и замок был полон туристов.

Из глубины двора Верхнего замка доносились звуки флейты. Там играли две девочки лет тринадцати. Длинные светлые волосы, платья в оборках, до пят. Рядом брошена на камни перевернутая шляпа. Обычное костюмированное представление для туристов. Я уже слышала игру юных музыкантш и раньше.

Я остановилась под сводом галереи и, опершись о каменные перила, разглядывала пространство двора и романтический колодец под черепичной крышей, увенчанной пеликаном. Прошла, стуча башмаками по булыжникам и весело переговариваясь, шумная группа немецких туристов. И в шляпу флейтисткам упали монеты.

Наконец последний турист пересек двор и скрылся под сводами арки. Остались только девочки и звуки флейт. Листья падали под эту музыку на черепичную крышу колодца, украшающего середину двора, я следила за их полетом и слушала музыку. Они играли так нежно, прозрачно, и все так гармонично совпадало — и медленный планирующий полет листьев, и эта незатейливая детская музыка.

Я перевела взгляд на флейтисток. И в тот момент одна из девочек обернулась в мою сторону...

Это невероятно: копия моей соседки!.. Белокурая красота Кватрочento: крошечный рот, очень высокий, словно подбритый, лоб... Абсолютное сходство. Только сейчас передо мной маленькая девочка лет тринадцати. А той таинственной соседке, которую я однажды видела, наверное, все-таки не меньше восемнадцати.

Между тем девочка-флейтистка искоса взглянула на меня, очевидно, почувствовав, что я ее пристально разглядываю. Взглянула и отвела взор. У нее были странные глаза. И странный взгляд. Не равнодушный взгляд уличной музыкантши, мгновенно определивший во мне не туристку, продиагностировавший, что монеты в шляпу из моего кошелька не посыплются, и мгновенно потерявший ко мне всякий интерес. Нет, девочка словно смотрела на меня и не видела. Спала с открытыми глазами.

Я тронулась с места и пошла по галерее, как житель Гаммельна, на звук флейты.

Я все шла и шла... До тех пор пока не столкнулась с Элжбетой.

Я была так увлечена преследованием, что даже не сразу ответила на приветствие моей приятельницы.

— Что с вами, Эмма? — заинтересовалась она. — Куда вы так пристально смотрите?

— Эта девочка... Кто она? — пробормотала я, глядя вслед уличной флейтистке.

Элжбета пожала плечами:

— Они с подругой часто тут играют. Подрабатывают.

— Кто она? — настойчиво и не слишком вежливо повторила я. — Вы ее знаете?

— Здесь все друг друга знают.

— Как же она похожа... — снова пробормотала я. — Конечно, у нее есть сестра! Тоже музыкантша?

Элжбета внимательно на меня посмотрела:

— Почему вы об этом спрашиваете?

— Ответьте, это важно...

— О, да, — грустно произнесла моя приятельница. — Музыкантша... И замечательная!

— Тоже играет на флейте? — с плохо скрываемой надеждой в голосе уточнила я.

— На фортепьяно... Здесь летом бывают концерты, и Летиция Блажек, старшая сестра этой девочки, часто на них выступала.

— Выступала? Что это значит?

— Эмма, понимаете... она умерла!

Я потрясенно молчала.

— Вы в порядке? — забеспокоилась Элжбета. — Да что с вами, Эмма?

— Ничего не понимаю! — пробормотала я наконец.

— Объясните, Эмма, что с вами все-таки происходит?

Я не стала ничего больше говорить. Да и что я могла сказать? Ведь все так странно, что даже не объяснишь. Хотя, конечно, если есть человек, с которым можно серьезно обсуждать существование призраков, так это Элжбета!

* * *

Я решила снова что-нибудь купить в магазине той женщины, что отводит глаза, когда речь заходит о доме Марии и о ее соседях. Точнее, о подозрительном отсутствии этих самых соседей.

Колокольчик слегка звякнул, когда я переступила порог магазина.

Хозяйка предупредительно бросилась мне навстречу. И резко остановилась, увидев меня, сделала вид, что не узнала.

Не обращая внимания на такую не слишком радушную встречу, я подошла к прилавку.

— Вы сказали мне в прошлый раз, что за стеной, в соседней с моей квартире никто не живет?

— Не припомню, о чем мы говорили. — Она отвернулась.

— Вы оказались правы: за стеной, в соседней квартире, действительно никто не живет!

— Никто так никто...

— Вот как?

Я взяла с прилавка первую попавшуюся сумку. И достала из кошелька купюру.

Взгляд женщины потеплел.

— Но вы ведь не можете не знать, кто там жил прежде?

Она взяла деньги и чуть слышно вздохнула:

— Ну, хорошо.... Там жили сестры Блажек!

— Что?!

— Летиция, старшая, погибла.

— Как это случилось?

— Сорвалась с каменного выступа одной из башен замка.

— Нелепая смерть!

— Пожалуй...

— И часто с этой башни в замке падают девушки?

— Не часто.

— Но оттуда упала Летиция?

— Да. Говорят, она упала с каменного выступа.

— Странно...

— Молодежь любит покуролесить по ночам.

— И в этом все дело?

— Возможно, в несчастном случае было виновато вино. Или что еще похуже. Сейчас ведь такие времена...

— Травка и все такое?

— Ну, молодежь есть молодежь.

— Значит, несчастный случай?

Я взяла еще одну сумку. И достала из кошелька еще купюру.

— Не знаю, насколько это достоверно, — уклончиво заметила пани. — Возможно, действительно имела место нелепая случайность. А возможно... Но откуда же мне знать!

Похоже, она была искренна.

— Могу я, как вы думаете, поговорить с кем-то из ее родных?

— Их было двое, Летиция и ее младшая сестра. Сироты. Сестра живет сейчас у священника. Маленькая девочка, которая иногда играет на флейте для туристов. Не думаю, что ее стоит тревожить напоминанием о несчастье. Говорят, у нее нервный шок после смерти сестры и она ни с кем не разговаривает. Что-нибудь еще купите?

Некоторое время я потерянно молчала.

— Пока хватит, — наконец произнесла я.

* * *

Я остановилась возле окошка пани кассира.

— Вы что-нибудь знаете о девушке по имени Летиция Блажек?

— То же, что и все в Тальборге.

— Что именно?

— Летиции Блажек было восемнадцать. Красивая молодая девушка. Что еще к этому добавишь?

— Может, все-таки что-нибудь добавите?

— Ну, она погибла.

— Как?

— Сорвалась с каменного выступа Угловой башни.

— Но как она там оказалась?

— Темная история.

— А долгие светлые летние ночи — любимое время молодежи? Это что же, своего рода местный спорт — забираться на стену замка?

— В нашем городке существует предание: чтобы проверить клятву возлюбленного — надо в ночь на первое ноября оказаться с ним в замке.

— Вот как? Похоже, ее проверка не удалась.

— Ходили упорные слухи, что она с кем-то встречается. Даже будто бы... Ну, вы меня понимаете? Если девушка бросается с башни, наверное, на то есть причины.

— Бросается? Но с кем она встречалась?

— Откуда же мне знать.

— Правда? — не удержалась от иронии я, услышав последнюю фразу.

Когда люди так говорят, мне начинает казаться, что они что-то все-таки знают. Уж не знаю, откуда, но знают.

— А в общем, люди болтали всякое. Вдруг сорвалась с каменного выступа Угловой башни... Или бросилась... Темная история! Хотя подозреваемых как таковых не было.

— Неужели вы хотите сказать, что...

— Честно говоря, — вздохнула пани кассир, — я тоже часто думаю о гибели Летиции Блажек, хотя прошло уже немало времени. Тут есть какая-то загадка! А почему история этой девушки вас так интересует?

— Мне является ее призрак, — без обиняков призналась я.

Пани кассир задумалась, как бы не собираясь продолжать разговор.

— Кстати, наш Тадеуш с той поры, как нашел девушку мертвой, совсем рехнулся! — на прощание, когда я уже повернулась, чтобы уйти, заметила она.

* * *

— Вы знали Летицию Блажек, пан Тадеуш?

— Что? — Мне показалось, что угрюмый сторож вздрогнул, когда я произнесла это имя.

— Вы знали Летицию Блажек? — настойчиво повторила я.

— Тут все друг друга знают, пани!

— Я хочу спросить, вам что-нибудь известно об обстоятельствах ее смерти?

— О чем это вы, пани? Какие такие обстоятельства? Пани Элжбета и так меня корит, что я вас вроде как запугиваю, на нервы действую...

Мне показалось, что сторож специально делает вид, что не понимает, о чем я спрашиваю.

— Значит, ничего не знаете?

Некоторое время он молчал, словно раздумывая, стоит или нет мой вопрос того, чтобы на него отвечать. Наконец все же взглянул на меня исподлобья и медленно, со значением произнес, глядя мне прямо в глаза:

— Молодые женщины иногда сами не знают, в кого влюбляются, вот что я вам скажу.

Что это значит? На что это он, интересно, намекает? Что я «влюбилась» в Жана? Намек на мое легкомыслие?

Мне не понравилась такая фамильярность.

* * *

Не могу сказать, что эти расспросы прибавили ясности. А что касается мистического тумана, то лучше всех в нем ориентируется Элжбета.

И я рассказала пани менеджеру по кадрам все: и про ночную музыку, и про письмо домовладельца, и про девушку, без разрешения поселившуюся в пустом соседнем доме. Девушку, как две капли воды похожую на маленькую флейтистку! Похожую, как сестра... с одним лишь «но» — эта самая сестра флейтистки, оказывается, погибла год назад.

— Однако музыкантша она замечательная. Могу подтвердить! — закончила я свой рассказ. — Заходите вечерком, пани Элжбета, желательно ближе к полуночи, если желаете удостовериться в ее неиссякающем музыкальном даровании.

— Вы хотите сказать, что видели погибшую Летицию Блажек? — без малейшего удивления во взоре взглянула на меня моя приятельница.

Я надеялась, что хоть на этот-то раз Элжбета улыбнется. Может, даже рассмеется. Во всяком случае, как-то рассеет мои не вполне озвученные подозрения. Но она был совершенно серьезна.

— Не знаю, кого я видела! Просто не знаю, что и думать!

Пани менеджер испытующе смотрела на меня.

— Я была в полиции, но этот визит ничего мне дал, — не выдержав молчания, добавила я.

— Вот именно!

— Что вы хотите сказать?

— Хочу сказать, что вмешательство полиции в таких случаях бессмысленно.

— Бессмысленно? Почему?

— А вы не догадываетесь?

— О чем я должна догадаться?

— Давайте называть все своими именами, Эмма! — предложила пани Элжбета.

— Давайте, — согласилась я. Впрочем, безо всякого энтузиазма.

— Итак, вы видите девушку, которая умерла. Верно?

— Ну, якобы умерла...

— Никаких «ну»! Оставим только факты. Летиция Блажек умерла год назад, это факт. Но вы ее видели не далее как пару дней назад. И это тоже факт. Верно?

— Получается, что так...

— Что из этого следует?

— Ну, что?

— Я первая спросила.

— Ну, из этого следует, что девушка, которую я видела, очень похожа на Летицию Блажек.

— Вот как?

— Ну так не сама же это Летиция! Нет и нет! Как это возможно, если Летиция умерла? — Я попробовала засмеяться, надеясь, что и пани усмехнется над таким предположением.

Но она и не подумала этого сделать. Она смотрела на меня в упор и была совершено — совершено! — серьезна.

— В общем, из всего этого следует, — продолжала упорствовать я, — что какая-то девушка, поселившаяся у меня за стеной, очень похожа на умершую Летицию.

— И вы верите в такие совпадения?

— А что мне остается делать?! — ответила я вопросом на вопрос.

— Ну, хорошо. Допустим, вы правы, Эмма. Что же эта девушка делает в соседней половине вашего дома?

— Живет...

— Так, что никто, кроме вас, ее не видит, не так ли?

— Да, она живет там тайно. Наверное, какая-то бродяжка.

— Случайная бродяжка, которая похожа на умершую Летицию, как сестра? Как две капли воды?

— Ну а что еще остается предположить?

— Ну, хорошо. Допустим и это. Что еще она там делает?

— Играет какую-то музыку.

— Какую?

— Божественно прекрасную, пани Элжбета. Неземную!

— То есть не на Земле созданную?

— Просто я не слышала никогда прежде такой музыки, я в этом смысле!

— Вам все это не странно?

— Да странно, конечно! Я первая сказала, что странно. Должно же быть разумное объяснение, как вы думаете?

— А вы как?

— Я думаю, — упрямо наклонив голову, повторила я, четко чеканя слова, — что это бедная бродяжка, нашедшая приют в чужом доме.

— Ну, ну... — пани Элжбета скептически покачала головой.

— Но она почему-то очень похожа на умершую год назад Летицию, — сникнув, закончила я.

— Почему, Эмма?! Почему она так похожа... как две капли воды... на Летицию...

— Ну, почему? — вздохнула я. — Говорите! У вас такой знающий вид...

— Да потому, что это и есть Летиция!

— Что вы сказали?

— Что слышали! Призрак!

— А фортепьяно? По-вашему, призрак это может?

— Знаете, ведь она была совсем юной... почти девчонка!

— И что же?

— Может быть, это просто шалость?

— То есть?

— Надо полагать, эта девушка за вашей стеной — дух «несовершенный». И даже, я бы сказала, «легкомысленный». Есть такая категория. Она не может удержаться, чтобы не прикоснуться к клавишам... Она музыкантша... Это выше ее сил! Мы же не знаем, как им там — безо всего, чем они так дорожили при жизни и чего лишились после смерти? Недаром прежде умершим давали с собой в последнюю дорогу — клали в могилу — самые любимые их вещи. Наверное, она просто тоскует по музыке. Раскрытый рояль в доме... Трудно удержаться и не прикоснуться к клавишам, даже если ты уже призрак.

— Вы говорите просто невероятные вещи.

— Да не волнуйтесь вы так, дорогая. Соседство духов может быть очень опасно, а может...

— Что?

— Наоборот! Иногда они помогают... И даже хранят!

— Мило. Тогда хотелось бы знать, зачем она является? Что она делает в моем доме?

— Духи, не знающие покоя, Эмма, не нашедшие его — по разным причинам! — блуждают среди людей, рвутся назад в наш мир. Она умерла всего год назад и, очевидно, еще не покинула нас.

— Что?

— Видите ли, в случаях самоубийства или насильственной смерти расставание с оболочкой происходит слишком внезапно.

— В случае... чего? — прошептала я с ужасом.

— Понимаете, Эмма, — пояснила моя приятельница, — душа, слишком грубо расставшаяся с бренной оболочкой, не может с этим примириться.

— Вот оно что... Кстати, о какой девушке вы тогда говорили? — вдруг насторожилась я. — Когда рассказывали про Тень?

— Именно о ней я вам и толковала, Эмма, — вздохнула пани менеджер по кадрам. — Я говорила вам о Летиции Блажек.

Глава 10

Девушка появилась снова. Причем буквально на следующую ночь, когда, как обычно, после чая я вышла на крыльцо.

Я была уверена, что незнакомка опять вот-вот начнет таять. Но девушка не исчезала. И я не нашла ничего лучшего, как сказать:

— Привет!

Мне показалось, что она кивнула.

— Привет... — растерянно повторила я. Не уверенная, впрочем, что с привидениями следует здороваться именно так.

Тем не менее я как ни в чем не бывало, перегнулась через перила и поинтересовалась:

— Если не секрет, давно вам сдали эту квартиру?

Молчание.

— Знаете... У меня странное ощущение, что вы появились здесь в тот же день, что и я! Словно мы приехали одновременно.

Молчание. Улыбка.

— Еще вопрос... — немного обескураженная неудачной попыткой поговорить, продолжала я. — У вас там, в доме, есть рояль?

Конечно, я просто не могла ее об этом не спросить!

Она склонила голову. Словно кивнула.

Ну, вот все и выяснилось. Как же я боялась, что она скажет «нет»! Тогда бы мне была одна дорога: прямиком к врачу. По поводу навязчивых слуховых галлюцинаций.

— Удивительно, что мы не познакомились до сих пор, — пробормотала я, не решаясь произнести вслух слово «странно». — Вы, наверное, типичная сова: днем любите спать...

«А по ночам — музицировать», — хотела я сказать дальше. Но не успела закончить начатую фразу.

Девушка вдруг приложила палец к губам.

— Осторожно, Эмма... — долетел до меня ее легкий, как воздушный поцелуй, полушепот.

* * *

— По-моему, она хочет мне что-то сказать...

Жан лишь сухо кивнул, выслушав мой рассказ о белокурой девушке-привидении.

— Ведь, понимаете, возможно, это было самоубийство или даже насильственная смерть! — повторила я слова моей приятельницы пани Элжбеты.

Жан был лаконичен.

— Жаль, что вы так и не обратились к врачу, — заметил он.

Я только вздохнула: сама напросилась! Конечно, человек с образованием, полученным в Сорбонне — ну, так мне, во всяком случае, кажется, хотя он ничего об этом не говорит, — это вам не пани менеджер по кадрам. Это не тот человек, с которым можно серьезно обсуждать существование духов и призраков.

— Понимаете, — все-таки возразила я, — говорят, в нашем замке небезопасно.

— Серьезно?

Я пожала плечами:

— Пан Тадеуш и пани Элжбета считают, что у девушки по имени Летиция Блажек забрали vita.

— Это что такое?

— Силу жизни.

— Версия экзотическая!

— Правда? — вздохнула я

— Может быть, они даже знают, кто это сделал? — Ле Мур усмехнулся.

— Тень!

И я стала пересказывать всю ту чепуху, о которой толковали безумный Тадеуш и Элжбета.

— Интересно... Кстати, вы тоже так считаете?

— Нисколько, но...

— Да?

— Признаюсь, меня озадачивает их убежденность.

— Ну, что касается Элжбеты, этой пожилой пани, то ее россказни — обычное дело для музейных старожилов.

— То есть?

— Старушка создает легенды. Все музейные работники со стажем этим грешат. Иногда они и сами начинают верить в собственные выдумки.

— Правда?

— Есть, впрочем, простой способ прекратить все эти метания и сомнения.

— Способ?

— В библиотеке замка есть старинная книга с магическими заклятиями.

— Вы серьезно?

— Но надо же вас как-то излечить!

— Надо... — нехотя согласилась я.

— Так вот! Вы видели книжный шкаф в кабинете пана директора? Там стоит книга, которая называется «Salomonis Schlüssel».

— Как?

— «Ключ Соломона». Это одна из самых древних магических книг. В Средние века она была переведена с древнееврейского. Книга была запрещена католической церковью и потому большая редкость. А тот экземпляр, что хранится в книжном шкафу пана директора замка, и вовсе особенный. Говорят, чернокнижники и алхимики пользовались именно этой книгой. Якобы на ней даже лежит некое заклятие...

— Но...

— Я объясню вам, на какой именно полке эта книга находится.

— Что?

— Вы возьмете книгу...

— Что?!

— Да не волнуйтесь вы так!

— Но ведь это преступление.

— Вы же вернете ее обратно.

— Но из замка ничего нельзя выносить! Всем сотрудникам музея это строжайше запрещено. Это же... просто-напросто воровство!

— Уж поверьте, Эмма, я вовсе не вор-рецидивист. И вовсе это не кража... Просто вынужденное временное заимствование.

— Ничего себе заимствование!

— И это самый простой способ разрешить ваши сомнения, — Ле Мур усмехнулся краешком идеально очерченного рта. — Все очень просто, Эмма! Если «Salomonis Schlüssel» поможет и девушка-соседка исчезнет, значит, она дух. Если нет — обратитесь в полицию. Поистине соломоново решение! Не так ли?

— Пожалуй... — понуро кивнула я. Ужасно, но, наверное, любовь для женщины всегда означает подчинение. И, кажется, я уже полностью нахожусь под влиянием Жана Ле Мура.

— Ну вот!

— Но как я смогу забрать книгу из кабинета директора?

— Пани Ядвига оставит дверцу шкафа открытой. Я ее попрошу, она не повернет завтра ключ в замке.

— Может, лучше это сделать не мне? — неуверенно произнесла я с явной надеждой в голосе. — Честно говоря, мне отчего-то не очень хочется изгонять дух этой Летиции. Да, не хочется мне этого делать! Даже в шутку!

— Причина?

— А вдруг мы причиним ей вред?

— Не волнуйтесь, мы выберем самое легкое заклятие — всего лишь для того, чтобы ваше привидение не слишком вас не беспокоило.

— Правда? — вздохнула я, сдаваясь.

— Но вам придется самой вынести «Salomonis Schlüssel» из замка и прочитать заклятие, Эмма, — настойчиво и даже как-то чересчур жестко повторил Жан. — Иначе не подействует. Это ведь ваш дух!

— Мой?

— Сдается мне, эта «якобы Летиция» посещает именно вас.

— Ну, хорошо... — теряя остатки самостоятельности и покоряясь эмоциональному напору своего друга, согласилась я. «Со своим страхом вы должны справиться сами», — так посоветовал бы и любой психолог.

— Отлично. Я оставлю закладку на той странице, где находится нужное заклятие. Книга на латыни. Откроете на нужной странице, прочитаете...

— Надеюсь, это не опасно? — я попробовала все же улыбнуться.

— Кстати, что вам сказали в полиции? — вместо ответа поинтересовался мой друг.

— Их совсем не интересует то, что происходит в доме Марии Бернстейн! — вздохнула я.

* * *

Итак, Жан (ну, не всерьез, конечно!) предлагает изгнать «дух погибшей Летиции» с соседней половины дома. Но... Мне все же показалось, что он по-настоящему встревожен. Да, очень встревожен моим рассказом об этой девушке. Может быть, все, что с ней связано, беспокоит его даже больше, чем меня.

Нет! Конечно, беспокоит его то, что происходит со мной! Жан уверен, что ради моего душевного здоровья следует как можно скорее разрешить мои же сомнения.

Однако изгнать Летицию... Не знаю отчего, но мне так грустно от одной мысли о подобном!

Что делать, этого требует Жан, в которого я, понятно уже, по уши влюблена. Надо сказать, ему вообще довольно трудно сопротивляться. У Ле Мура невероятная способность покорять.

К тому же что страшного в том, что я продекламирую парочку-другую заклинаний? В конце концов, это способ не обижать отказом моего друга. Для мужчин отчего-то всегда так важно настоять на своем!

Ну, и это способ проверить, в чем тут дело.

И потом, если всякие там сказки о «Ключе Соломона» — это несерьезно (в чем я все-таки не сомневаюсь!), то молоденькой хиппушке-соседке вряд ли будет вред от парочки-другой заклинаний. Как говорится, не убудет от нее!

Мне кажется, Жан прав: следует как можно скорее разрешить мои мистические сомнения. А потом — в полицию.

И тогда уж пан Усы не отвертится. Проникновение в жилище налицо!

* * *

Не знаю, было ли и правда в той книге что-то эдакое, заклятое, «настоящее». Но пока я несла «Salomonis Schlüssel» под курткой, придерживая рукой и семеня мелкими шажками, как гусыня, книга буквально жгла мне кожу. Казалось, что на свитере останется подпалина, как от утюга. Хорошо хоть, что не в меру наблюдательной пани кассирши не было в это время на своем рабочем месте.

Я вздохнула с облегчением, дойдя наконец до главных ворот замка. И тут же чуть не выронила книгу. От неожиданности! Прямо на меня из своей полицейской машины, стоявшей напротив главных ворот, смотрел пан Усы.

Я резко остановилась, и тяжелая книга предательски скользнула вниз по животу. Я судорожно прижала ее рукой. И согнулась... Очевидно, я выглядела как человек, у которого прихватило живот.

— Добрый день, пани! — поприветствовал меня пан Усы.

— Добрый... — как-то не слишком энергично, вроде бы даже сомневаясь в данном утверждении, ответила я.

— Как ваши дела?

— Н-ничего... неплохо. — Книга предательски продолжала сползать вниз.

— Вы нашли то письмо, пани?

— Н-нет... Пока нет!

— Вот как?

— Но я найду! — сгибаясь в три погибели, чтобы книга окончательно не выскользнула из-под свитера, заверила я.

— Я надеюсь, пани... Я очень надеюсь, что вы найдете письмо Ванды Зборовской.

Вот так вот! Пока я опасалась действия магических заклятий, меня могли запросто «взять с поличным». Посадить за тривиальное воровство музейного имущества!

Но все, к счастью, обошлось: я благополучно прошла мимо полицейской машины.

Однако не удержалась и оглянулась. Пан полицейский провожал меня долгим внимательным взглядом. Такой взгляд — особенно если он принадлежит полицейскому — не обещает ничего хорошего.

Наконец я добралась до дома... В ожидании сумерек я выпила две чашки своего любимого зеленого чая с жасмином. А когда стемнело, зажгла одинокую свечу. Точно как проинструктировал меня Жан.

С плохо объяснимым страхом я заглянула на страницу, заложенную цветком шиповника.

— Arum... spiritus... — неуверенно произнесла я.

Стоило мне это сделать, и за стеной запела клавиша. Это было похоже на ответ. А у меня возникло ощущение, будто роялю причинили боль!

— Noceo... puello... datum... secutus sum... — кое-как, коверкая непонятные для меня латинские слова, я продолжала читать вслух.

А из-за стены мне отвечала музыка.

Это была музыка странная, смятенная... В ней были страх и тревога, любовь и прощание. Мне показалось, что мне что-то хотят сказать.

Потом музыка оборвалась на полуфразе, на полуноте...

Это случилось, когда я произнесла последние слова:

— De-finio... divinutus.

Вслед за тем наступила тишина. Такая тишина!

В ней было что-то окончательное. Бывает иногда такая тишина — когда совершенно точно ясно: больше ничего не будет. Продолжения не последует. Эта была именно такой.

...Утром я нашла его, когда подметала пол. Это был мой мотылек. Хрупкие крылья померкли и высохли. И рассыпались от малейшего прикосновения.

А ведь мне еще предстояло вернуть «Salomonis Schlüssel» в замок.

И так, конечно, не бывает: хочешь пройти незамеченной — и чтобы никто не встретился! Проходя по галерее, я наткнулась на Элжбету. И, разумеется, пани менеджер по кадрам не тот человек, от которого может ускользнуть такая деталь, как вздувшийся на животе свитер. Пришлось все объяснять.

— Прочитала заклятие, — виновато призналась я.

Она взяла у меня книгу, заглянула на страницу, заложенную смятым цветком шиповника. Потом довольно внимательно перелистала ее.

— Вы читали именно это заклятие? — изумилась Элжбета, снова открывая книгу на том месте, где лежал цветок шиповника.

— Да. А что?

— Но, Эмма... Это очень сильное заклятие...

— Правда?

— Эмма, дорогая! Это же заклятие на уничтожение!

* * *

— Жан... Мы же не хотели ее уничтожить?

— Нет, конечно.

— Мы хотели ее только прогнать, правда?

— Правда.

— Но мы уничтожили ее!

— С чего вы взяли?

— Я...

— Что — вы?

— Я все выяснила. На странице, заложенной цветком шиповника, было заклятие на уничтожение.

— Правда?

— Это было заклятие на уничтожение, Жан!

— Вот как? Что ж... Возможно, вы просто перепутали второпях страницы.

— Она уже больше никогда не вернется?

— Вы не должны так всерьез все это воспринимать, Эмма!

— Мотылек погиб...

— Мотылек?

— Помните, я вам рассказывала?

— Мотылек просто улетел, Эмма.

— Нет, я видела: он погиб!

— Не стоит так сильно переживать смерть насекомых, — успокоил меня Жан Ле Мур.

И он посмотрел на меня своим неотразимым долгим взглядом, от которого у меня исчезают все вопросы. И кружится голова.

* * *

Я больше не слышу музыки за стеной. Рояль молчит.

Девушки я тоже больше не вижу.

Не знаю отчего, но в доме Марии Бернстейн мне теперь не по себе... Я чувствую себя здесь теперь как-то тревожно, неуютно. Былого покоя и счастливой легкости нет и в помине. Так чувствуют себя, наверное, те, кому приходится жить там, где случилось что-то скверное. Убийство, например.

Допустим, Летиция — дух, рассуждаю я. (Нет, ну просто допустим, хотя бы ненадолго!) И вот она исчезла. Отчего? Если она исчезла от заклинания, то она точно дух. Ох, что я такое несу — «точно»!

Но как это ни невероятно... А что, если она действительно призрак?

— Духи, милая Эмма, я ведь вам уже говорила, отнюдь не всегда вредят. А вдруг эта девушка была вашим хранителем? — так сказала мне Элжбета.

— Хранителем? Какая-то девочка, почти тинейджер?

— Конечно, отчасти вы правы: на небеса попадают праведники...

— Вот именно!

— Но философ Эмануэль Сведенборг добавлял, что они должны быть разумны. А поэт Блейк высказал мнение, что это должны быть художники и поэты. А я возьму смелость добавить: и музыканты.

— Правда?

— Кстати, Сведенборг был визионером, он обладал возможностью беседовать с ангелами и демонами...

— Вот как?

— И он утверждал, что ангелы не нуждаются в словах: достаточно подумать об ангеле, и он будет рядом.

Я растерянно молчала.

— И еще, дорогая...

— Что-то еще?

— Видите ли, люди, которым выпало общение с духами, часто изображают свои видения именно в виде мотылька.

Иногда я... я почти верю Элжбете! Мне не хватает той музыки. Я ловлю себя на том, что продолжаю прислушиваться к тому, что там, за стеной. Как будто на что-то надеюсь. Например, что на ступенях соседского крыльца, светясь воздушно и нежно, как облачко ночных фиалок, появится девушка с длинными разбросанными по плечам светлыми волосами, в прозрачном платье, пронизанном светом луны. Призрак? А хотя бы и так? И пахло от нее фиалками... И чем она мне помешала?

Может, все-таки продать эту недвижимость?

Как ни странно, но в фирме «Аренда и продажа» мне сказали, что покупатель есть и продажу можно оформить очень быстро.

И деньги дают за мой дом хоть и не слишком большие, но, как выяснилось, вполне приличные.

Недвижимость с привидением! Понятный резон, когда от нее хотят избавиться, продать... А тут все наоборот: мне больше не нужен дом без моего привидения.

* * *

— День добрый! — окликнул меня пан Усы из машины, когда, покинув офис «Аренды и продажи», я возвращалась домой.

В ответ на приветствие я лишь кивнула.

— Нашли письмо?

— Нет, — не останавливаясь, на ходу бросила я.

— Плохо, милая пани!

— Неужели? Мне так не кажется.

— И к тому же вы так странно выглядели давеча...

— Это когда же?

— Когда покидали территорию замка! Согнулись отчего-то в три погибели.

— У меня болел живот.

— И часто у вас болит живот, пани?

— Не часто...

— Правда?

— Но бывает иногда.

— Сочувствую...

— Это ведь еще ничего не значит?

— Как сказать, пани...

— Послушайте! — я резко обернулась.

— Слушаю вас внимательно.

— Может, я подозрительна вам потому, что приезжая? Или еще какие-нибудь пустяки?

— Я бы не назвал свои вопросы пустяковыми.

— Правда? Зато то, что беспокоит меня, уж точно кажется вам пустяками?

— А что вас так опять волнует, пани?

— Все! Вокруг меня, позвольте довести до вашего сведения, происходят крайне странные вещи...

— Не очень понимаю.

— Дома на улице Свентого Духа вокруг меня пустуют, как будто вымерли! В замке кто-то хохочет, звенят несуществующие монеты. А тот, маленький, рыцарь-малютка...

— Что, пани?

— Стучит доспехами, вот что! По-вашему, это нормально?

— Нет, пани, конечно, нет. Ничего нормального я в этом не вижу. — Пан Усы внимательным пытливым взглядом даже не полицейского, а врача смотрел мне в лицо.

— Возможно, кто-то не в шутку разыгрывает меня, — нервно продолжала я. — Всерьез, понимаете? Хочет запугать!

— Запугать вас, пани?

— Именно, изматывает нервы. Напрягает психику. А как еще, по-вашему, можно все это объяснить?

— Я не могу ответить на ваши вопросы.

— Так я и думала!

— Я не могу ответить на все ваши вопросы. Тем более сразу. Их слишком много.

— Ах, вот что...

— Но вот что касается призраков замка...

— Что?

— Я думал, вы и сами, наверное, догадались.

— О чем это?

— Да ведь это все затеи Элжбеты!

— Что?

— Ей хочется привлечь в замок побольше туристов...

— И что же?

— Ну, вот она договорилась с актерами, которые обычно заняты на наших представлениях...

— Как вы сказали?

— Смех, постукивания — это ведь все фокусы актеров, нанятых Элжбетой, чтобы создавать в замке «звуковой фон старины» и «ауру». Для привлечения посетителей, понятное дело!

— А монеты? — растерянно произнесла я. — Ведь там никого не было...

— Хитрости здешней акустики! Видите ли, если бросить монету в одном помещении, звук будет слышен в другом.

* * *

— Я оценила ваше чувство юмора, Элжбета! — Стараясь выглядеть не слишком обиженной и сохранять положенное интеллигентному человеку самообладание, произнесла я. — Однако могли бы и предупредить. Как говорится, не в службу, а в дружбу. По-моему, это просто жестоко — так разыгрывать меня! Сведенборг, мотыльки, заклятия...

— Эмма! — Элжбета светло и ясно взглянула на меня своими честными голубыми глазами. — Поймите, некоторые производственные моменты просто необходимы — мы обязаны поддерживать легенды замка, дух романтики...

— Вот как?

— В конце концов, это просто дань времени. Состояние экономики таково, что я просто вынуждена пускаться во все тяжкие. Каюсь!

— Однако со сказкой про Тень вы, на мой взгляд, явно переборщили! Зашли слишком далеко!

Она отвела глаза в сторону.

— Я понимаю ваше состояние, дорогая. Конечно, вы вправе выплеснуть теперь вместе с водой и ребенка. Но на вашем месте я бы не стала этого делать.

— Правда?

— Видите ли, моя дорогая, одно не отменяет другого.

— Вот как? Признайтесь, а кого вы наняли на роль моей музицирующей Летиции: лауреатку конкурса Чайковского, не меньше?

— Эмма, могу поклясться...

— Поклянитесь!

— Клянусь!

— Так что?

— Никого.

Понятное дело, с некоторых пор я не очень верю этой пани. В чем она только меня не убеждала... Прав был Жан Ле Мур: «Старушка создает легенды.

Все музейные работники со стажем этим грешат, иногда они и сами начинают в них верить».

Наверное, это и правда обычное дело для музейных старожилов. К тому же «ожившие легенды» и впрямь отражаются на выручке кассы.

* * *

— Пан Тадеуш! — В очередной раз найдя эти красные вонючие цветки, рдяно-багровые, свежие и живые, как кровь, я выхватила их из сумки и выкинула из окна.

— Что это с вами, пани? — растерянно уставился на меня громила сторож.

— Хватит глупостей, дорогой пан! Я сыта по горло вашими здешними сказками! Всеми этими вашими розыгрышами, проектами по привлечению туристов и прочим!

— О чем это вы?

— Как вы себе это представляете? От кого вы меня оберегаете? Вы же взрослый человек! Из-под могильной плиты вылезает некто и, гремя костями, бродит по замку?

Некоторое время он молча смотрел на меня. Словно раздумывая, стоят или нет мои вопросы того, чтобы на них отвечать.

— А вы никогда не встречали людей с мертвым взглядом, пани? — вдруг произнес он.

— Что?

— Они вроде бы живут обычной для людей жизнью. Они среди нас. Но когда заглядываешь им в глаза — ощущаешь холод пустоты. Словно это уже не человек, а тень.

Я промолчала. Неожиданно для самой себя я задумалась над тем, что сказал мой безумный собеседник.

Сторож ушел.

А я стала искать в его словах смысл. Обычное заблуждение — сумасшедшие что-нибудь скажут, а остальной мир ищет в их словах смысл. Хотя так естественно предположить, что смысла в бормотаниях сумасшедших просто нет. У ненормальных своя картина мира.

ЧАСТЬ ВТОРАЯ

Глава 1

Ночью я проснулась оттого, что на соседней половине дома снова...

Нет, это было не фортепьяно. Кто-то расхаживал там, за стеной, по комнате! И я вполне ясно слышала эти шаги.

На редкость нехорошая квартирка! После изгнания Летиции (кстати, ее шагов я не слышала никогда) в ней на некоторое время наступила тишина. И вот пожалуйста — снова...

Но с меня хватит! Все это мне порядком надоело.

Из всех предметов, в идеальном порядке расставленных в кухне Мари Бернстейн, я выбрала скалку. Перешагнула заветный заборчик...

Входная дверь, как обычно, выглядела закрытой. Но когда я толкнула ее, она легко открылась.

Расположение комнат здесь было таким же, как на половине дома, принадлежащей Марии. И я легко ориентировалась... Я прокралась по коридору и осторожно заглянула в комнату, из которой доносился шум. В ее темноте метался луч карманного фонаря. Я прижалась к стене. Возможно, я слишком громко дышала... Во всяком случае, луч неожиданно двинулся в моем направлении. Он протянул ко мне свое длинное желтое щупальце, готовясь выхватить меня из спасительной темноты. И... А что мне оставалось делать? Я так нанервничалась от всяких незваных призрачных гостей... И я запустила в желтый круглый светящийся «глаз» Марииной скалкой. Замечательной старинной скалкой, очень увесистой.

Отборные польские ругательства потрясли темноту дома. Надо сказать, для призрака они были чересчур реальны.

Я включила фонарь.

На полу, держась за голову, сидел мужчина лет тридцати пяти (кстати сказать, лучшая мужская пора). Скалка валялась рядом... Очевидно, мой бросок оказался метким. Мужчина смотрел на меня одним глазом — другой, увы, надо полагать, подбитый, он закрывал рукой.

Глаз, кстати говоря, был серый, а сам мужчина довольно симпатичный.

— Вы что — с ума сошли? — поморщившись от боли, произнес он.

— Может быть, и сошла! — уклонилась я от однозначного ответа.

— Оно и видно!

— Ответьте-ка лучше, что вы здесь делаете?

— Что я здесь делаю?! — возмутился раненый. — Нет, это что вы здесь делаете?!

— Невежливо отвечать вопросом на вопрос, — заметила я.

— Правда? В жизни не встречал большей наглости!

— А вот я бы не была столь категорична...

— Замечательно! Вы запускаете мне в голову

скалкой, а когда я осмеливаюсь поинтересоваться, что вы делаете в моем доме, вы еще и учите меня манерам!

— В вашем доме? — я растерянно уставилась на раненого. До меня постепенно начал доходить смысл происходящего. — Так вы...

— Моя фамилия Красовский.

— Красовский... Ян... — растерянно повторила я. — Домовладелец?

— Вот именно, милая пани!

Итак, передо мной был долгожданный домовладелец. Возвратившийся, наконец, в родные пенаты. И схлопотавший за это по голове скалкой.

— Врываетесь ночью в мой дом, бьете по голове! — между тем продолжал возмущаться пострадавший.

— Ну, ошиблась... — вздохнула я.

— Вот как?

— Немного.

— Мне так не показалось!

— Извините...

— Вы чуть не выбили мне глаз! — Он, снова поморщившись, убрал ладонь.

Серый симпатичный глаз, к счастью, был цел. Правда, немного распух...

— Да ничего страшного! — попробовала успокоить я пострадавшего. — Даже крови нет.

— А вам непременно нужно кровопролитие? Милая женщина, ничего не скажешь!

— Да хватит вам стонать!.. Просто будет синяк, вот и все.

— Просто синяк? — возмутился он.

— Ну, не рассчитала, — вздохнула я. — Тут, знаете, такое творится, не до расчетов!

— Вот пожалуюсь в полицию... — Он усмехнулся.

А вот этого ему не надо было говорить!

Возможно, он просто пошутил. Про полицию. Но для меня это уже больной вопрос. Мне и так порядком надоело, что пан Усы терроризирует меня своими странными подозрениями. Вообще все, похоже, взялись меня терроризировать в этом городке — и люди, и не люди. Что-то устала я уже от Тальборга... А тут еще Ян Красовский среди ночи заявился!

Раздумав далее сожалеть о случившемся, а также извиняться, я повернулась и направилась к двери.

— Вы разве мне не поможете? — воскликнул он вслед.

— Больница недалеко, пан. Там вам окажут первую медицинскую помощь. К тому же от синяков не умирают...

— Ну и соседка!

Я остановилась и внимательно его оглядела.

— Надеюсь, мы нечасто будем встречаться, — заключила я, давая понять, что осмотр не дал положительного для меня результата.

— Правда? Можете не волноваться! — Кажется, он обиделся.

— Просто не представляю, как можно находиться с вами под одной крышей! — добавила я масла в огонь.

— А вам и не надо этого представлять!

— Вот как?

— Не отрицаю, этот дом принадлежит мне. Но я вовсе не утверждал, что собираюсь в нем жить.

— Это обнадеживает.

— Рад, что не разочаровал!

— Что вы, нисколько!

— Видите ли, жить рядом с такой... э-э...

— Ну, договаривайте! — подбодрила я.

— Уж догадайтесь сами.

— Еще чего, буду я гадать на ночь глядя!

— Ну, извольте: жить по соседству со столь неприятной особой...

— Что?!

Хотелось бы сказать, что я ушла «чеканя шаг» и «громко стуча каблуками», но дело было ночью, а я была в тапочках. Так что эффект от финала нашей встречи и милой беседы оказался смазан.

Короче, я просто ушла. Еще разок повторив напоследок: «Надеюсь, вижу вас в первый и последний раз!»

Хотя что-то уже подсказывало мне, что от этого типа так легко не отделаешься.

* * *

Как я уже говорила, если день ясный, то часть обеденного времени я провожу в прогретом последним осенним солнцем розовом саду, расположенном на южной террасе замка. Она самая солнечная.

Сегодня здесь можно было даже позагорать. Или хотя бы расстегнуть блузку. Благо кроме меня, здесь никогда никого не бывает.

Увы... Тут очень к месту придется самое безнадежное русское присловье — «хорошего понемножку»!

Он появился, когда я дремала, закрыв глаза.

Наверное, спрыгнул со стены. А мне показалось, что свалился с облака.

Неприятно это признавать, но я узнала его, даже не открывая глаз. По запаху очень неплохой туалетной воды и по невероятным энергетическим импульсам самоуверенности и наглости, которые распространяет вокруг себя этот человек.

Увы, Ян Красовский явно прибыл в Тальборг специально для того, чтобы отравлять мне существование.

— Пожалуй, тоже позагораю, — как ни в чем не бывало произнес он, нахально наблюдая, как я торопливо застегиваю блузку. — Не возражаете?

— Место не куплено...

— Вы, как всегда, сама любезность!

Он расположился рядом и (если этот человек умрет, то, конечно, не от скромности) стащил с себя футболку. Выглядел он, надо признаться, совсем неплохо. Впрочем, какая мне разница. Странно, что я об этом вообще подумала.

— А вы классно здесь устроились, — похвалил он.

— Правда?

— Кстати, предлагаю обсудить наши территориальные проблемы.

— Какие-какие проблемы?

— Территориальные! Вы так себя ведете, что я просто боюсь появляться в собственном доме. Бросаетесь скалками...

— Надо же какой робкий!

— У меня есть предложение.

— Могу себе представить...

— Давайте поужинаем.

— Еще чего!

— Ну, тогда пообедаем...

— Даже не думайте!

— Позавтракаем?

— Без наглости, пожалуйста.

— Ну, надо же нам как-то договориться!

Строго говоря, он прав.

Пообедали мы в «Валторне», небольшом и довольно приятном тальборгском ресторанчике. Ели омаров и довольно спокойно и миролюбиво обсуждали наши «территориальные проблемы».

К десерту мы с паном Красовским заключили мировую и договорились, что он не будет мозолить мне глаза. То есть, хотя та половина дома по праву принадлежит ему, он не будет пользоваться этим правом, а поживет в отеле.

— Я еще пробуду в Тальборге некоторое время, у меня здесь кое-какие дела, — сообщил он. — Но досаждать вам не буду. Не волнуйтесь!

— А я и не волнуюсь, — все же немного заволновавшись, заметила я.

В общем, я очень рада, что он не стал вести себя навязчиво.

— Надеюсь, отель вам по средствам? — заботливо поинтересовалась я.

Он только кивнул:

— Нет проблем!

— Правда?

— Я вполне могу позволить себе отель, — снова повторил он.

Впрочем, я была не слишком уверена, что он будет соблюдать наш договор.

Ясно, что пан Красовский принадлежал к человеческому типу нахалов и завоевателей. Причем являлся на редкость обаятельным экземпляром. Из этих, которые непонятно даже чем берут. Но берут! Стоит такому только появиться на горизонте, и женщины сразу понимают — явился мужчина.

Конечно, со мной у него это не пройдет.

— Кстати, а где же та девушка, о которой вы мне писали?

Вопрос застал меня врасплох. В самом деле, не рассказывать же ему о «Ключе Соломона». Он ведь, этот пан Красовский, такой суперреалистичный! Кажется, все призраки испарятся, как роса в полдень, рядом ним.

То, что казалось вполне вероятным в обсуждениях с Элжбетой, становится явным абсурдом, стоит только представить ухмылку Красовского.

Но я очень ловко от него отделалась.

— Не ваше дело, — сказала я.

Сама не понимаю, как все это случилось.

Мы пообедали... Потом сели в машину. И как-то так вдруг — и вмиг! — просвистели до самого Гданьска. Там было шумно и весело. На запруженных людьми улицах царило почти карнавальное веселье, все веранды ресторанов и кафе были заполнены. И как-то так вышло, что в конце концов мы, погуляв по городу, еще и поужинали. Посидели при зажженной свече в ресторанчике.

Потом он повез меня домой. Ну, в *мой* дом, поскольку, как я уже говорила, мы заключили мировую и договорились, что Красовский не будет мозолить мне глаза. И хотя вторая половина дома по праву принадлежит ему, он, как джентльмен, учитывая нашу полную и абсолютную несовместимость, не будет пользоваться этим правом, а поживет в отеле.

Продолжая обсуждать нашу джентльменскую договоренность, мы ехали, ехали... Но ночь была теплая и звездная, верх у машины откинут, и мы остановились на берегу, где горели огоньки свечей и почти у самой кромки воды стояло несколько столиков кафе. Мы смотрели на закат, пили красное вино... И решили покататься еще.

И даже не заметили, как оказались в городе-курорте, полном опустевших — сезон-то закончился — гостиниц. Остановились мы возле той, где был слышен шум моря, и больше никаких звуков не раздавалось. Кроме нас и сонного портье, который, отдав нам ключ, сразу опять ушел спать, там никого и не было.

Ну, в общем, вот так и вышло, что мы выполнили всю предложенную Янеком программу: пообедали, поужинали и позавтракали.

* * *

В понедельник я проснулась поздно.

Конечно, о том, чтобы идти на работу, и речи быть не могло. Сто сорок четыре ступеньки... Нет, Угловая башня была мне в этот день явно не по силам.

Вместо того чтобы спешить на работу, я вышла с кружкой кофе на свое крылечко, ведущее во внутренний дворик.

И обнаружила там Жана Ле Мура!

Высокая унылая фигура отделилась от стены мне навстречу.

Да, это был он, человек, о котором я еще совсем недавно практически мечтала.

— Как дела?

Хороший вопрос... Замечательный уик-энд, женщина и мужчина, а утром в понедельник спозаранку появляется еще один мужчина.

— Как дела? — повторил он.

И я поняла, что он все знает.

— Спасибо, — ответила я. — Хорошо.

Надеюсь, от меня не ждут виновато опущенных глаз?

Он ушел. И, кажется, обиделся.

Все-таки сердце женщины и его способность влюбляться одновременно более чем в одного мужчину — это была, есть и будет загадка.

Ну а что женщине делать, если они такие разные?!

Если закрыть глаза и представить себе их обоих, то Янек — это нечто горячее, радостное, похожее на летнюю, веселую жару. Что-то солнечное, желто-красное. А Жан — синева и холод. Что-то минусовое, вакуумное, что затягивает и замораживает.

Недавно мне казалось, я люблю Жана. Но у таких нахалов, как Янек, есть один важный плюс — с ними скучно не бывает. Может быть, все дело в том, что я была чересчур одинока и печальна последнее время?

Все это тем более ужасно, что мне действительно казалось, будто я люблю Жана Ле Мура. И почему ему не пришло в голову пригласить меня пообедать?!

Глава 2

Мне больше некогда беседовать с Элжбетой о призраках и наблюдать, чем занимается пан Тадеуш, когда топит камин. Легкое, растворенное, как солнце в воде, ощущение счастья заполняет меня от макушки до пяток.

Это состояние не покидает меня ни днем, ни тем более ночью.

Я занята своим счастьем. Я ношусь с ним, как курица с яйцом.

Увы, замечательное это состояние разбила вдребезги очередная встреча с паном полицейским.

Я как раз возвращалась из магазина с покупками: салат латук, оливковое масло (готовилась закатить для нас с Янеком семейный ужин), когда заметила, что неподалеку от дома стоит полицейская машина. Не могу сказать, что я сильно обрадовалась. С тех пор как моя странная соседка исчезла, а музыка за стеной прекратилась, пан полицейский не вызывал у меня практического интереса.

— Я не нашла то письмо! — сразу, с ходу в карьер, доложила я, чтобы не тянуть резину, состоящую из ухмылок, подозрений и скользких полицейских намеков.

— А я почти в этом и не сомневался, пани.

— Хотите меня арестовать?

— Пока нет.

— То есть еще не пора?

— Я не сторонник решительных действий, пани.

— Вот как?

— Я не сторонник решительных действий, — повторил мой собеседник, — пока не выясню все до конца.

— Значит, пока могу гулять на свободе?

— Можете.

— Вот спасибо!

— Да не за что.

— Послушайте, — я вздохнула. — Не хотите все же прояснить, в чем дело?

— В самом деле хотите это знать?

— Неужели письмо пани Зборовской — это так важно?

— Вы даже не представляете насколько!

— Так скажите, в чем дело! Если, конечно, есть что сказать...

— Сомневаетесь?

— И очень!

— Видите ли... Как я вам уже сообщал, небезызвестная вам пани Зборовская выпала из окна!

— Я уже это слышала.

— Понимаете, у нее вдруг закружилась голова, и она, вот беда, упала из окна!

— И что теперь? — несколько бестактно уточнила я.

— Все дело в том, что в тот несчастливый день Ванда Зборовская — и это установлено абсолютно точно! — как обычно, пила свой утренний мятный чай...

— Вам это кажется странным?

— Нисколько. Одна деталь: старая дама пила в тот день чай не одна. Мы, правда, не нашли второй чашки и отпечатков пальцев, но чайный стол бы сервирован для двоих.

— Старческая рассеянность, и к тому же гость мог не прийти...

— Однако в то утро пани Ванда выбрала для заварки фарфоровый чайник с двумя голубками на крышке. А не чайник с одиноким голубком, на одну чашку, которым она пользуется, когда пьет чай одна.

— И вас это удивляет?

— Нет.

— А что же?

— Полицию всего лишь интересует, с кем именно пила в то утро чай Ванда Зборовская.

— Что вы все-таки хотите сказать?

— Лишь то, что в крови погибшей пани экспертами было обнаружено некое вещество. Очень сильный транквилизатор, способный вызывать головокружение и галлюцинации. Это вещество растительного происхождения, по сути, тоже чай.

— Что?

— Мы подозреваем, что зелье было подсыпано, смешано именно с тем чаем, который пани заварила в то утро.

— Что же все-таки означает ваш рассказ?

— Видите ли, посетителей в тот день у Ванды было немного. Если честно, их, кажется, не было совсем. Видите ли, пани Зборовская была одиноким человеком.

— Понятно, — вздохнула я. — И тут появляюсь я!

Пан Усы ехидно хмыкнул:

— Наконец-то вы догадались, в чем проблема!

— А доказательства? Вы сами еле вспомнили, где меня видели. Или вами было установлено наблюдение за ее квартирой и камеры фиксировали всех посетителей? — вредным голосом, как полагается героям детективных фильмов, уточнила я.

— Лучше камеры! У нас есть показания соседок Ванды: вы навещали ее в тот день, и они вас опознают. Короче говоря, вы были среди тех, кто посетил дом Ванды в день ее смерти, — повторил он.

— Я этого и не отрицала. Но это случилось уже после ее смерти. Я была там во второй половине дня, а никак не утром.

— Знаете, что такое ложное двойное алиби?

— Я редко читаю детективы.

— Придумывается история, например, как у вас — с письмом. Некто специально засвечивается рядом с соседками. Рассчитывая, что никому и в голову не придет, что кое-кто мог дважды посетить одно и то же место!

— Но вам, конечно, пришло! Типичная полицейская выдумка...

— Неужели!

— Абсолютно. Видите ли, Ванда Зборовская пригласила меня на пятичасовой чай! В ее письме было точно указано время.

— Совершенно верно, пани. Представьте, я давно осведомлен о пунктуальности пани Зборовской и о присущей ей привычке указывать точное время для визита своих гостей.

— И?

— Ищите письмо, пани, вот что... Хорошенько его ищите!

— Хотите сказать, что это письмо — мое алиби?

— Думайте сами!

«Форд» тронулся с места и исчез за углом.

Пан Усы уехал. А я осталась растерянно стоять посреди улицы с пакетами покупок.

Вот те раз! Значит, произошло убийство? И полицейские подозревают меня?

Это как гром среди ясного неба...

Кстати, я действительно нигде не могу найти письмо, написанное пани Зборовской. Но и не могу припомнить, чтобы я его выбрасывала.

* * *

— Встретила ее давеча! — прервала свои занятия макияжем пани Ядвига, когда я, как обычно, зашла отдать ключ от Studierzimmer.

— Кого?

— Да Летицию Блажек.

— А-а...

Я столь напряженно обдумывала последние вновь открывшиеся для меня обстоятельства, что до меня даже не сразу дошло, что она сказала.

— Шальная все-таки девчонка! — повторила пани жена директора.

— Что-о? — наконец до меня все-таки дошло. — Кого-кого вы встретили?!

— Да Летицию...

— Пани Ядвига! — ошеломленно воззрилась я на жену директора. — Но она же погибла! Такая печальная и загадочная история...

— Нашла о чем горевать!

— То есть?

— Мало ли шальных девчонок из дома сбегает.

— Разве... разве это было не?..

— Ха!

— Ничего не понимаю! Так вы полагаете, смерть Летиции Блажек — это вовсе не...

— Про то я тебе и толкую, дорогуша! Никакая это была не смерть. Легкомысленная девчонка! Только и в башке у нее было — травки накуриться да сбежать из-под опеки пана священника. Уж очень он ее донимал строгими правилами.

Как мне уже неоднократно приходилось убеждаться, пани жена директора ну очень сведущий человек.

— Очень интересно... Так вы действительно уверены, что она сбежала?

— Да уж точно! Путалась она тут с одним...

— Ах, вот что... А с кем же?

— Да есть тут у нас кое-кто, этот... Казан... Как там, забыла?

— Казанова?

— Во-во! Ни одной юбки он не пропустит.

— Правда?

— Шоб я сдохла еще раз!

— И Летиция с ним и путалась?

— Ну да! С ним и сбежала.

— А похороны? Ведь были же похороны?

— Разыграли весь город.

— Но зачем?

Пани посмотрела на меня как на дуру.

— По-вашему, просто сбежать с дружком... несовершеннолетней?

— Но ведь было же заключение о смерти, в конце концов! — ошеломленно пробормотала я.

— Так ведь полицейский пан Глебов и сам исчез. Сразу после этих похорон!

— Исчез?

— Спросите сами в полиции: нет его в Тальборге.

Вот так версия! Совсем неожиданный поворот. Впрочем пани жена директора — известная сплетница и выдумщица. Она мне уже столько всего порассказала!..

* * *

С Жаном Ле Муром встречаться мне теперь неловко. У него в глазах такое всепонимание... унизительное для меня. Как говорят, знает кошка, чье мясо съела. Это я про себя, естественно.

Короче, я всячески избегаю мест, где обычно можно его встретить. Например, обхожу стороной лиственницу.

К тому же мне совсем и не хочется его видеть. От былой влюбленности не осталось как будто и следа.

Но хочется — не хочется, а мы все-таки столкнулись с ним возле большой зимней трапезной. Теперь это зал временных выставок, и на сей раз в огромном помещении большой зимней трапезной разместили выставку витражей. И я решила заглянуть туда после работы.

Я поднималась туда по лестнице, освещенной витражным окном мастера Гасельбергера. Это окно — шедевр цветного остекления знаменитого немецкого художника. Кстати, здесь тоже изображен пир. Элжбета говорила мне, что Гасельбергер использовал композицию, сюжет и манеру средневековой миниатюры. Обратная перспектива, то есть пиршественный стол, словно выдвигается вперед на зрителя. Главное место занимает фигура магистра — он сидит за столом, уставленным золотой утварью. На заднем плане словно бесконечный поток жемчужно-стального цвета лавы — рыцарских доспехов. Над ними лес знаменных древков, на которых полощутся по ветру штандарты. А справа от магистра, опираясь локтями на спинку покрытой ковром скамьи, стоит человек. Рядом с ним собака, с острой вытянутой мордой и черным ухом.

Окно выходит на запад. Солнце уже склонилось, витражные краски гасли. И вот в этом призрачном свете на верхних ступенях лестницы неожиданно возник мой друг Ле Мур. Я не очень поняла, откуда он вдруг взялся...

Одним словом, он появился, как всегда, так неожиданно! Снова «соткался из тумана», точнее, из того призрачного света, который держится еще некоторое время после заката солнца.

— Тоже на выставку? — вздрогнув от неожиданности, пробормотала я.

— Мне показалось, Эмма, вы избегаете встреч со мной последнее время? — вместо ответа последовал вопрос.

— Избегаю? — я натянуто и оживленно изобразила изумление.

— Не люблю ложь!

— А в чем дело? — рассердилась я. У меня всегда так: когда прижимают к стенке, становлюсь агрессивной. А уж когда начинают что-то требовать, и вовсе не терплю. В конце-то концов, мы с ним всего лишь знакомы, причем недавно и довольно поверхностно!

— А этот тип, Красовский... Правда, что он поселился в вашем доме? — Мне показалось, что Жан уточнил этот скользкий для меня момент неприлично требовательно. Чересчур!

— По-вашему, это касается кого-то, кроме меня? — прервала я его намеренно холодно.

— Ах, вот как?! Что ж... Желаю успеха!

Он повернулся и сделал несколько шагов. И остановился:

— Кстати, Эмма, помните, вы интересовались, почему дома на вашей улице пустуют?

— Да? — За своими новыми переживаниями я как-то подзабыла об этом «интересе».

— Так вот! Мне удалось кое-что узнать.

— Правда?

— Мне удалось выяснить, что же происходит с исторической частью Тальборга и с улицей, на которой находится ваш дом.

— И что же с ними происходит?

— Да, в общем, ничего особенного.

— Вот как?

— На улице Свентого Духа будет построен гостиничный комплекс.

— То есть?

— На улице Свентого Духа под стеной замка будут располагаться отели. Именно поэтому старые дома и скупают.

— Вы серьезно?

— Некоторые прежние владельцы уже продали свои дома, некоторые еще сопротивляются.

— Сопротивляются? — растерянно повторила я.

— А некоторые владельцы просто умерли, — закончил свою мысль Ле Мур.

— Это правда, умерли... — ошеломленно согласилась я. — Но кто?

— Что?

— Кто скупает эти дома?

— Вы слишком многого от меня хотите, Эмма, — усмехнулся он. — Откуда мне это знать?

И Жан снова усмехнулся. Как-то чересчур язвительно. Люди, которые действительно ничего не знают, так не усмехаются.

* * *

У меня возник вопрос, который я себе прежде не задавала.

Мари Бернстейн воспринималась мной как старый и, как следствие, очевидно, не слишком здоровый человек. И если ее завещание вызвало у меня удивление, то сама смерть нисколько. Старым людям положено умирать.

Но теперь этот вопрос очень и очень меня заинтересовал. Ведь, как выяснилось, пани Зборовская погибла при весьма странных обстоятельствах. По словам пана полицейского, смерть Ванды Зборовской, подруги Марии Бернстейн, не была случайностью.

А при каких обстоятельствах умерла пани Мария Бернстейн? Отчего она умерла?

Я столько думала об этом после разговора с Жаном, что она, конечно же, не могла мне не присниться.

Мари приснилась мне сидящей в своей собственной гостиной — зеленые обои под шелк, в белых букетиках анемонов. Она сидела за столом, накрытым для чая. Чайная чашка из ее сервиза «с наядами» была полна, и над ней поднимался пар. Однако глаза у Мари были закрыты. Причем я отчетливо это понимала, она хотела открыть глаза. Но не могла этого сделать.

Проснулась я в тот момент, когда у снившейся мне Марии дрогнули ресницы, в то последнее мгновение, когда глаза ее вот-вот должны были открыться. Но они не открылись. Что-то помешало ей взглянуть на меня.

Утром я рассказала Янеку свой сон.

— Что-то мешало ей открыть глаза! — произнесла с тревогой в голосе.

Ян усмехнулся:

— Что мешало ей открыть глаза? Ты смешная... Ну что, в самом деле, могло помешать достопочтенной пани? Полагаю, всего лишь то, что она умерла!

«Всего лишь!» Мне не понравилась эта фраза.

К снам я отношусь серьезно. И я точно помню, что в этом сне Мария хотела на меня посмотреть. Но не могла этого сделать!

Я так разволновалась, что даже посетила ее лечащего врача. Но доктор Барток уверил меня, что в смерти госпожи Бернстейн не было абсолютно ничего насильственного. Он был так любезен, что даже ознакомил меня с заключением о ее смерти.

У пани Бернстейн был, оказывается, очень тяжелый приступ аллергии.

— Как она выглядела? — спросила я.

— Отеки, распухшие веки...

— Она и прежде страдала этим заболеванием? Такое с ней бывало?

Доктор отрицательно покачал головой.

— Вам это не показалось странным?

Старый доктор лишь пожал плечами:

— Когда речь идет об аллергии, ничто не бывает странным. К сожалению, мне не удалось установить, что явилось аллергеном.

Мне хотелось рассказать доктору сон. Тот, в котором Мария никак не могла на меня взглянуть. Но к нему была большая очередь в приемной.

Я вышла на улицу.

Значит, у Мари была тяжелая форма аллергии? Отеки, распухшие веки. Может быть, они-то и мешали ей взглянуть на меня?

Жаль, что я проснулась, так и не успев увидеть, что же было в ее глазах. Внимание, любовь? Интерес? Может, страх или негодование? Может быть, она что-то хотела мне сказать? Известно для чего умершие являются в наши сны... Ведь если пани Зборовскую действительно убили, то не значит ли это...

Что, если и смерть Марии была насильственной? Может быть, она тоже пила с кем-то чай?

Мне очень хотелось поговорить об этом с Янеком. Но он был занят. В Тальборге у него какие-то дела, и он постоянно отлучается.

* * *

Снова слегка звякнул колокольчик, но хозяйка не бросилась мне навстречу. Кажется, мои появления уже перестали ее удивлять.

Я подошла к прилавку и без разговоров достала кошелек.

— Когда мы говорили с вами о том, что за стеной моего дома никто не живет... — заговорила я, взяв с прилавка одну из оставшихся сумок и выложив несколько купюр, — могли бы упомянуть, что и все остальные дома на улице пустуют.

— Это не мое дело, — нехотя пробормотала хозяйка магазина.

— Насколько я знаю, на улице Свентого Духа будут располагаться отели!

Хозяйка магазина пожала плечами, подчеркивая, насколько ей это безразлично.

— Именно поэтому старые дома скупают?

Хозяйка магазина снова пожала плечами, всем своим видом показывая, насколько ей это неинтересно. Зато вот обо мне этого никак нельзя было сказать!

— Интересно, кто все-таки скупает дома? Как вы думаете?

В ответ женщина промолчала.

А я вздохнула и пересчитала остававшиеся лежать на прилавке сумки. Я готова была купить вообще все, что есть у нее в магазине, только пусть она не уклоняется от ответа, когда я кое о чем ее спрошу!

— Так кто же этот новый таинственный собственник?

— Откуда мне знать? — произнесла она знакомую уже мне фразу.

Я достала несколько купюр.

— Говорят разное... — уклончиво пробормотала хозяйка магазина.

Я прибавила еще.

— Так что все-таки говорят?

— Говорят, будто дома под отели скупает бизнесмен из Варшавы, — наконец разрешилась она от бремени — от своей тайны.

— Кто именно?

— Пан Красовский.

— Что-о?

— Да вы ведь его, кажется, знаете... — не то спросила, не то констатировала женщина.

Теперь промолчала я.

— Пан Красовский и есть хозяин будущих отелей, — повторила хозяйка магазина и снова пожала плечами: — Что тут удивительного? Ему уже и так принадлежат все гостиницы в городе.

— Вот как... И тот мотель, что на въезде?

— Конечно! И все мотели в пригороде тоже принадлежат ему.

Вот оно как, оказывается! Мой милый друг Ян — акула бизнеса...

Открытие поразило меня. Даже ошеломило. Причем неприятно.

Во-первых, почему Ян ничего мне не сказал?

Ну, допустим, не все состоятельные мужчины торопятся сообщать своим подругам сведения о размерах своего состояния. Некоторым прежде хочется проверить искренность чувств избранницы.

Но вся эта, мне так и хотелось сказать, афера со старинными домами несколько странно пахнет. Выходит, именно мой друг Ян выживает владельцев домов по улице Свентого Духа, чтобы превратить ее в гостиничный комплекс?

А что, собственно, тут такого? И любой другой владелец отелей делал бы то же самое! И почему, собственно, мне так не нравится, что бизнесмен занимается своим прямым делом — бизнесом и скупает дома?

Однако где-то в глубине души у меня заскребло.

Дело в том, что уже известные мне факты теперь, когда я узнала, чем занимается мой милый друг, выглядели в несколько ином свете.

Конечно, конечно... Именно Ян купил дом номер шесть по улице Свентого Духа. Это факт. Надо полагать, ему не помешал бы и дом номер семь? Но свой дом Мария Бернстейн ему, выходит, не продала. Это тоже факт. И здесь возникает некоторая неясность... Учитывая все мои сомнения по поводу ее смерти — очень существенная!

Вот почему меня так неприятно поразило сделанное с помощью хозяйки магазинчика открытие.

Увы, сомнения в искренности Янека уже поселились в моей душе. В несколько ином свете я видела теперь и всю историю с несовершеннолетней Летицией...

Однако всякие показания — так положено в детективах! — следует перепроверить другими показаниями.

Глава 3

— Элжбета, вы видели Летицию Блажек мертвой?

— Ну, разумеется. Я была на похоронах, весь город там был.

— Я хочу сказать, вы видели в гробу ее... э-э... мертвое тело?

— Нет, конечно!

— Вот как?

— Я ведь вам уже говорила: Летицию хоронили в закрытом гробу. А другого случая поглядеть на нее я не искала — не переношу мертвецов!

— Правда? Значит, вы лично не видели ее мертвой?

— Я видела то, что видела, дорогая.

— Исчерпывающее описание! А что, если она не погибла?

Пани Элжбета уставилась на меня в абсолютном недоумении:

— А кто же тогда...

Ясно было, что варианты для нее существуют. Если на рояле за моей стеной играл не призрак, то кто, спрашивается? — читалось в полном недоумении голубом взоре моей приятельницы.

Я не стала ей объяснять, чем вызван мой вопрос. Но он ее, кажется, смутил.

— Не вижу причин, почему мы не должны доверять пану Тадеушу, — не слишком уверенно произнесла она. — Ведь в ту ночь это он ее обнаружил.

— Вот как?

— Во всяком случае, именно Тадеуш находился рядом с трупом девушки, когда приехала полиция.

— А потом полиция же распорядилась, чтобы гроб на похоронах был закрыт?

Элжбета пожала плечами.

* * *

Это был тот редкий случай, когда я сама искала встречи с паном полицейским.

— Мне нужно с вами поговорить, пан начальник.

— Наконец-то!

— Вы не о том подумали.

— Правда?

— Я хочу вас спросить о смерти девушки по имени Летиция Блажек.

— О чем?

— Ведь вы расследовали это дело.

— С чего вы взяли?

— Нет?

— Разумеется, полиция занималась этим делом. Но это не значит, что его вел именно я. Меня тогда не было в Тальборге.

— Вот как?

— Уезжал в отпуск. И делом занимался пан Глебов. Да и дела как такового не было. Мой коллега решил, что нет достаточных оснований для уголовного дела.

— Вот как?

— Произошел несчастный случай.

— После чего ваш пан Глебов сам как в воду канул?

— Я бы так не сказал.

— Но, насколько мне известно, полицейский чин, который занимался расследованием гибели девушки, после ее похорон исчез.

— Уехал!

— Неужели? Значит, он тоже сейчас в отпуске? Или отправился повышать квалификацию в академию?

— Чему тут удивляться? Пан уехал... скажем так, по важному делу. В служебную командировку.

— Куда именно? И можно ли его найти?

— Это служебная тайна.

— Неужели?

— Позвольте все-таки узнать, отчего вас так волнует смерть той девушки?

— С чего вы взяли, что волнует? — Я уклонилась от ответа. — Просто ходят самые разные слухи...

— Никаких слухов не ходит, а вы, пани, опять не искренни, — укорил меня пан Усы.

— Да уж куда мне!

А ведь официальные документы, удостоверяющие смерть Летиции Блажек, при желании можно было оформить — за хорошие деньги, естественно. Что, очевидно, и было сделано! После чего подкупленный полицейский — где он, этот пан Глебов? — сбежал. И теперь пан начальник бережет честь мундира и покрывает, то есть скрывает, данное обстоятельство.

А Элжбета? Какова ее роль в этой истории? О том, что она умеет обманывать, я уже знаю. Но зачем ей нужно было придумывать легенду о Летиции? Ведь на посещаемость музея она не влияет. Во всяком случае, моя приятельница уж так убеждала меня, что мне является призрак, дух-скиталец и что девушка погибла...

Однако не все в замке считают так же. Например, пани Ядвига думает совсем-совсем иначе.

Кстати, пани жена директора кое-что не договорила в прошлый раз!

* * *

— Не выходит у меня из головы та шальная девчонка, что из дома сбежала, — призналась я жене директора, оставляя ключ.

— Чтой-то опять забеспокоилась, дорогуша?

— Да любопытно все же, кто этот таинственный Казанова?

— Ясно кто... — Она слегка ухмыльнулась и замолкла.

— Да не тяните!

— С кем тут у нас все путаются? — Пани Ядвига иронически воззрилась на меня сквозь слои косметики.

— С кем же? — Я предательски покраснела.

— Ясно с кем!

— И все-таки...

— С Янеком Красовским.

— Что? Этого не может быть!

— А вы спросите своего приятеля, кто те похороны оплачивал.

— Что?

— Он их и оплачивал. Тоже мне похороны! Ха!

— Ян Красовский оплачивал похороны Летиции?

— Ну так! И это, дорогуша, можно проверить!

Счет, предъявленный мне в фирме «Ритуальные услуги», не нуждался в комментариях — на нем стояла подпись Яна.

Вот, значит, оно как... Девушка-соседка, как две капли воды похожая на Летицию, это и была настоящая Летиция. И вовсе она не погибла.

Вот так Ян!

Ну, в том, что он отнюдь не всегда говорит правду, я уже убедилась. Но как он был убедителен, когда сказал, что «ничего об этой девушке не знает»!

Ясно теперь, что «погибшая» девица была его любовницей. Была и есть. Собственно, чему тут удивляться, зная этого человека? У пана Яна просто на лбу написано, что ни одной юбки он не пропустит. Не пропустил, значит, и эту юбку. И «хорошие деньги», за которые можно подкупить полицейского, у пана Яна Красовского, акулы отельного бизнеса, как раз есть.

Ему был нужен дом, девчонке Блажек свобода — курить траву и распутничать. Опекуна они обманули, разыграв «похороны».

А потом, когда появилась я, наследница Мари Бернстейн, эта соплячка опять помогала ему, разыгрывая призрака, чтобы напугать меня и заставить продать поскорее дом. Невтерпеж было Яну поскорее осуществить свой бизнес-проект!

Ну а потом и помощь Летиции ему не понадобилась — я, как дура, сама упала в его акульи объятия. Что же касается девчонки, то сейчас она наверняка, обкурившись, храпит в каком-нибудь из его мотелей.

* * *

— Я что, так сильно мешаю вашему бизнесу? — «Акула бизнеса» получил по полной программе. Я выложила ему все! — Ну, да, конечно... Ведь дом Марии Бернстейн у вас как бельмо в глазу! Если бы не ее упрямство — давно здесь были бы отели, правда? Вы боялись, что я узнаю про ваш бизнес-план? Последний неуступчивый владелец дома может ведь сорвать хороший куш! Но вы хитрый, вы оборотистый, вы — акула бизнеса! Вы хотели получить дом задешево. Решили сначала все разведать. Втерлись ко мне в доверие...

— Какая пошлость! — Ему наконец удалось вставить слово.

— Что проще? Переспать с женщиной — сама все отдаст!

— Эмма!

— А Летиция, эта ваша пособница-любовница-призрак, — способ, чтобы выжить наследницу?

— Что вы несете, Эмма? Я в глаза не видел девушку, о которой вы столько говорите.

— Я все выяснила! Насчет Марии и ее странной болезни...

— Да что вы выяснили? И не надо так на меня смотреть, дорогая, как будто я прикончил всех старушек в округе.

— Не ерничайте! Почему вы залезли ночью в мой дом?

— В мой дом!

— Вы в нем не жили и часу! И вдруг срочно понадобилось — ночью?

— Хотел осмотреть дом, где разместится будущий отель.

— Не надейтесь, что я вам поверю! Это делают ваши прорабы, управляющие, дизайнеры... Что вам надо было в этом доме, Янек? Тем более ночью?

— Я...

— Не верю ни одному вашему слову! К счастью, я уже расследовала вашу «деятельность»...

— Выяснила... расследовала! — передразнил меня Ян.

И он ушел. Переехал. Надо полагать, в один из своих отелей...

Можно не горевать — такой не пропадет.

Вот и доверяй после этого «тонкому просвещенному вкусу». Можно, оказывается, развешивать Климта по стенам и мочить упрямых старушек, которые не хотят продавать свои дома. Хотя... Какая я дура! При чем здесь картинки в отелях?.. Ведь интерьерами занимаются дизайнеры. Конечно, скорее всего! Хозяин может даже и не побывать в какой-то своей гостинице ни разу, если у него их много.

Все! Больше не хочу видеть эту «акулу бизнеса»! Увы, я подозреваю Яна Красовского в похищении письма, в подставе и... Уже нет ничего такого, в чем бы я не смогла его подозревать. Но самое главное, между нами смерть Мари Бернстейн.

* * *

Зато наши отношения с Жаном Ле Муром теперь идеальны. Почти из эпохи рыцарских турниров, времени самого утонченного и роскошного рыцарства, когда рыцарь с черным щитом вызывал на бой тех, кому везет в любви, а тот, у кого был белый щит, — рыцарей, любовь которых оставалась безответной.

Ну а сами прекрасные дамы в это время восседали на серебряных антилопах и золотых львах. По истечении пары-тройки лет преданного служения они иногда разрешали влюбленным рыцарям поцеловать край своей перчатки. Конечно, мы с Жаном так далеко еще не зашли! Все, что мы себе позволяем, — это, как и прежде, смотреть друг другу в глаза.

Удивительное дело, но сторожу пану Тадеушу не нравится и это наше невинное занятие.

Каждый раз, когда я тороплюсь на встречу с Жаном (неужели у меня на лбу написано, к кому я тороплюсь?), сторож неодобрительно на меня смотрит и что-то бурчит себе под нос.

— Извините, Тадеуш! Мне надо уходить, — извиняюсь я, прерывая его ставшие уже традиционными, магические манипуляции. Кроме подбрасывания в камин черных бобов, он еще теперь развешивает в нашей Studierzimmer чеснок. — Извините, но меня ждут!

— Да уж ясно, что ждут, — вздыхает, как будто начинает работать мощный насос, сторож. — Ясен перец, ждет!

— Что опять, пан Тадеуш? — не выдерживаю я. — Что?!

— А то!

— Очень содержательно!

— Странный у вас дружок, вот что! — бурчит Тадеуш.

— Да что же в нем странного?

— Появляется неведомо откуда, исчезает...

— Неведомо? Да ведь Жан — сотрудник международной организации, консультант!

— Эх... — вздыхает громила сторож. — Неужто пани верит, что ее дружок уезжает в Париж?

— А вы полагаете, Ле Мур прячется под могильную плиту?

— А куда, по-вашему, лемуры еще могут прятаться?

— Почему вы произносите фамилию моего друга во множественном числе?

— Фамилию? Так, по-вашему, пани, Лемур — это фамилия?

— Что вы, собственно, хотите сказать?

— Уж больно странная у вашего друга фамилия... Вот что я хочу сказать!

— Вы находите?

— Подозрительная у него фамилия, пани! Вот что!

— Не понимаю ваших намеков...

— Возьмите-ка лучше вот это!

И он протягивает мне черный шелковый мешочек. Шелковый мешочек, доверху полный черными бобами. А я послушно, лишь бы Тадеуш перестал ворчать, вешаю его себе на пояс.

* * *

— Это еще что такое? — увидев мое «украшение», морщится Жан.

Я прибежала на свидание к лиственнице заметно взволнованной, забыв снять по дороге этот злосчастный мешочек. Ну и нарвалась, понятно. Ясное дело — парижский вкус!

— Черные бобы, — виновато поправляю я шнурок черного мешочка.

— Вот как?

— От пана Тадеуша... Он говорит, что это охраняет!

— Вы опять за свое?

— Ну, пан Тадеуш считает, что так он меня защищает...

— Правда?

— Ах, от меня не убудет, Жан, — начала я оправдываться. — И потом, знаете, на всякий случай... Не помешает ведь? А старику так спокойнее... Бедный пан Тадеуш! Он, конечно, явно не в себе.

— В самом деле? — Жан Ле Мур усмехнулся краешком рта.

— Ну, немножко сумасшедший, что поделаешь. «Ведь все мы, если присмотреться, немного того»! — вспомнила я слова Элжбеты.

— Эмма, вряд ли вам следует расписываться за всех, — несколько раздраженно прервал меня Ле Мур. — За нашего сторожа уж точно не надо! Мне он не кажется столь уж безумным.

— Разве?

— Скорее подозрительным.

— Что?

— Тень на плетень! Так это по-русски?

— Темнит? Вы хотите сказать, что пан лжет?

— А вы этого не допускаете?

— Как известно, нападение — лучший способ защиты.

— Что вы имеете в виду?

— Например, история с девушкой, с этой Блажек. Один нашел ее якобы мертвой. Ведь это Тадеуш обнаружил «труп», не так ли? Другой ваш дружок якобы ее похоронил. А потом вы сами видели мошенницу живой и здоровой. Разве не так?

— Пожалуй... — Я растерянно замолчала.

— А вам никогда не приходило в голову, Эмма, отчего Тадеуш... Впрочем, оставим это!

Ле Мур замолчал, явно не желая посвящать меня в какие-то подробности.

— Нет уж! Говорите! — принялась я настаивать на продолжении разговора.

— Хорошо, — вздохнул мой друг, словно смиряясь с чем-то неизбежным. — Подумайте сами, Эмма: отчего вдруг пьяницу Тадеуша так часто видят вместе с преуспевающим магнатом гостиничного бизнеса Красовским?

— Что?

— Так отчего?

— А это так?

Жан кивнул, глядя на меня весьма соболезнующе.

— Вы раньше мне об этом не говорили!

— Не хотелось вас расстраивать.

— Правда?

— Или другой вопрос: почему Красовский дает Тадеушу деньги?

— Деньги?

— Я сам видел, как он расплачивался со сторожем.

— Что?

— А эта история с пани Зборовской, упавшей из окна...

— Что-о?!

— Все знают, что она выпала из окна, потому что у нее закружилась голова. Вдруг закружилась голова! И также все в городе знают, что в тот день она пила свой чай не одна.

— Что вы все-таки хотите сказать?

— Только то, что Тадеуш ее иногда навещал. Старушка жалела этого оборванца.

— Он ничего мне не рассказывал об этом, — вконец растерялась я. — И словом не обмолвился.

— Не удивительно. Кстати, а что еще он вам говорит. Припомните-ка!

— Ну, например, что молодые женщины сами не понимают, в кого влюбляются... — растерянно стала припоминать я.

— Странный выбор темы... для сторожа.

— Еще он говорит, что у вас подозрительная фамилия.

— Надо же... Пан просто на редкость разговорчив!

Глава 4

Обычный рабочий день. На лестнице тяжелые шаги Тадеуша. Медленные и тяжелые шаги.

Их затянувшееся приближение нагнетает тревогу. И я невольно, как и в тот день, когда он впервые появился в Studierzimmer, сжимаюсь в ожидании его появления.

Пан Тадеуш мне теперь подозрителен. Красовский, девчонка Летиция... и сторож.

— Эти трое... И все вокруг меня! И еще вокруг меня опустевшая улица Свентого Духа. Покинутые дома. «Некоторые прежние владельцы уже продали свои дома, некоторые еще сопротивляются... А некоторые умерли, как Мария Бернстейн». Так сказал Жан. Все верно! Сначала «акула бизнеса» хотел купить дом Мари, без которого рушится выгодный проект. Не вышло. Потом хотел выжить меня с помощью беспокойной соседки... Не получилось. А когда и это не вышло, они решили... похитить письмо пани Зборовской, чтобы меня подставить! Убили (необязательно ведь мочить старушек самому, вот Янек и нанял сторожа) пани Зборовскую — подруга Мари наверняка их раскусила, — ну а посадить в тюрьму решили меня.

Вот зачем все было нужно!

Но если это так, то... Что пан Красовский задумал дальше? Точнее сказать, что они задумали? Где гарантия, что злоумышленники не хотят и меня извести?

Я все-таки вздрогнула, когда дверь распахнулась.

— Холодно, пани... Пора протопить!

Я невольно втягиваю голову в плечи. На Тадеуша смотрю с ужасом.

Притопал с очередной вязанкой дров... Еще и топор прихватил на этот раз!

Страх, который я испытываю при виде сторожа, ищет реальных подтверждений, и такая «деталь» мне теперь подозрительна. Но почему, собственно, я должна каждый раз вздрагивать от его терроризирующих меня появлений?

— Больше не надо этого делать! — твердо произнесла я, когда громила сторож бросил на пол дрова.

— О чем это вы говорите, пани?

— О том! И не думайте, что никто не догадывается! — Мне неприятна сама мысль, что это чудовище чувствует себя безнаказанно.

— Что?

— И не думайте, что я вас не раскусила...

— Раскусила?

— Я-то знаю, что в тот день Ванда Зборовская пила чай не одна...

— О чем вы, пани?

— И о том, что вы ее иногда навещали, я тоже знаю!

Внезапно нахмурившись, он подвинулся в мою сторону.

— Не подходите! — Я отступила назад.

А он сделал еще шаг вперед!

Теперь путь к двери оказался для меня закрыт. Горы книг, стол... Он не даст мне преодолеть эти баррикады, не проскользнешь...

Впрочем у меня оставался еще путь...

И я еще отступила назад. Теперь позади меня было окно.

Я вспомнила, как легко, словно по маслу, с немецкой точностью шпингалет двигается в пазах. Я легко, мгновенно его открою! Тогда можно будет пройти по внешней галерее. И через узкий проем бойницы попасть на внутреннюю лестницу. Да-да, неогороженные выступы, которые обитатели замка использовали для отражения атак, я использую для бегства!

Я встала на подоконник — и увидела внизу горы желто-бурых осенних листьев. Последнее, о чем подумала: вот так, наверное, упала и Ванда... Голова у меня закружилась — ох, уж эти головокружения! — я покачнулась.

— Вам что, жизнь надоела? — Тадеуш схватил меня, как кутенка, за воротник куртки и... втащил обратно в окно.

— Нет, нет! — Я зажмурилась.

— Вы с ума сошли? — Тадеуш закрыл окно.

Хороший вопрос в устах сумасшедшего.

Потом он сунул мне под нос какой-то флакон с резким запахом. Зубы у меня еще стучали, но головокружение стало проходить.

Все происходящее я воспринимала словно сквозь туман, похожий по плотности на вату. Очевидно, это был обморок. Тадеуш что-то говорил. Все говорил, говорил... Что-то про синий цвет... и про то, что «они среди нас». И все время вспоминал Жана, повторяя на разные лады его имя — Ле Мур... лемур... лемуры... Словно журчанье доносилось невнятно до моего сознания. А затем что-то про «ожившие тени» и «я их выведу на чистую воду!».

— Ну, да-да, фиолетово-черный... — пролепетала я, окончательно приходя в себя. — Слышали, знаем... Umbra vitae?

Кажется, он спас мне жизнь. Или это очередной хитрый ход?

— Не надо больше вам сюда приходить, — собрав остатки сил, твердо произнесла я.

Вместо ответа хмурое молчание.

— А как же вы, пани? — наконец вздохнул он.

— Вы опять о Тени? Даже если бы и так! Но, к счастью, я еще с ним не сталкивалась.

— Бедная пани...

— Почему бедная?

— Потому что так думаете!

— Как — так?

— Будто вы его еще не встретили.

И, тяжко вздыхая, мой истопник потопал к дверям. Еще долго я слышала на лестнице его медленные и тяжелые удаляющиеся шаги.

* * *

— Элжбета, вы тоже находите, что Ле Мур — подозрительная фамилия?

— О чем это вы, дорогая?

— О фамилии Жана.

— Не понимаю, — она смотрела на меня с величайшим изумлением. — По-вашему фамилия Жана — Лемур?

— Разве нет?

— Нет, конечно!

— Но он сказал мне, что его зовут Жан Ле Мур!

— Пошутил, наверное... Немного, правда, странный юмор! Его фамилия Собези. Жан Собези, сотрудник Международной организации памятников.

— Вы уверены? — Я смотрела на Элжбету с привычным уже для меня подозрением к ней.

— Я понимаю, вы вправе мне, так сказать, не доверять, дорогая... Но в данном-то случае! Все-таки я менеджер по кадрам.

— Однако...

— Знаете, возможно, Ле Мур — это имя его родовитых аристократических предков! — как будто ее осенило, произнесла пани Элжбета. — Потому он так вам и назвался.

* * *

Жизнь Тадеуша оборвала могильная плита рыцаря Иоганна фон Клейста. Привезенная дня два назад с сельского кладбища и поставленная грузчиками на попа — до водворения на постоянное место экспонирования на выставке исторических элементов и архитектурных деталей, — она неожиданно свалилась. И придавила нашего сторожа, а по совместительству резчика по камню Тадеуша Войцеховского.

Случилось это каким-то совершенно непостижимым образом. Грузчики клялись, что упасть она не могла никак. «Упоры», удерживающие ее в вертикальном положении, были очень надежны. И действительно, по всем законам физики могильная плита просто не могла свалиться на проходящего мимо человека.

Но она свалилась. И именно на Тадеуша.

— Дух! Скиталец! — Элжбета покосилась опасливо на гранитную плиту усопшего несколько столетий назад, давно всеми забытого Иоганна фон Клейста. И утерла кружевным крошечным платочком очередную слезу.

— Они это могут. Если сильно прогневать... Не надо было трогать!

Если она права, это, как говорится, не добавляет уверенности в завтрашнем дне. Сколько их здесь, рыцарских могил...

Вот мне интересно: чем резчик по камню так прогневал дух рыцаря Иоганна? Может, своим обликом языческого дикаря?

В нашем стороже и правда было что-то от очень давних времен. От тех времен, когда населявшие эту землю люди, страшась, тревожась или ища спасения, искали ответы на свои вопросы в ропоте ручьев, в шелесте деревьев и потаенной тени священных лесов, где таились древние прусские боги, у многих из которых и вовсе не было имен. И стеная, жаловались им: «Рыцари оскверняют священные леса, тень и молчание которых мы чтим; они налагают вьюк на белого коня в храме бога священного огня; они вонзают топор в корни дуба, ветви которого, когда их раскачивает ветер, открывают волю неба».

И вот словно воскресли былое противостояние и взаимная враждебность. Слово «реинкарнация» приходит невольно мне на ум. Как мы ведем себя, снова вернувшись в новом своем воплощении? Что, если мы помним все свои обиды?

Конечно, не следует все-таки слишком поддаваться мистическим настроениям. Жан это не одобряет. Ясное дело, дух рыцаря тут ни при чем... Но как, каким непостижимым образом Тадеуш вдруг оказался в пределах досягаемости многотонного куска гранита в столь необъяснимое время: между тремя и пятью часами ночи? Так, во всяком случае, определил время его смерти патологоанатом. «Время волка»!

Что Тадеуш делал в этот час на кладбище?

Увы, сам он на мои вопросы ответить уже не мог.

Похороны состоялись в воскресенье. Наверное, впервые за многие годы Тадеуша побрили, причесали. Когда сторож-резчик лежал в гробу, его было даже не узнать. Ничего общего с тем лохматым косматым чудовищем, появление которое так пугало меня в призрачных сумерках замка.

Да и сами похороны были по высшему разряду.

На удивление! Супергроб за пару тысяч долларов. Букеты от дорогих флористов.

В толпе любопытной тальборгской публики, завсегдатаев любых похорон (не того размера городок, чтобы пропускать такое зрелище!), где я затерялась, толковали, будто бы устроил похороны сторожу какой-то богач.

— Пышное мероприятие...

— Да уж, пан постарался!

Я оглянулась.

За моей спиной стояла пани Ядвига.

В темных, больших, скрывающих пол-лица очках (но нескрывающих обычные ее слои штукатурки и помады), в свитере с высоким воротом и в шелковом, повязанном, как у американской кинозвезды (чтобы ветер в кабриолете не растрепал прическу), платочке с каким-то странным рисунком — нечто похожее на маленькие могилки и гробики. Нет, Элжбета все-таки права, странная женщина эта пани жена директора.

— Кто устроил такие шикарные похороны? — шепнула я, наклонясь к уху пани Ядвиги.

Вместо ответа она как-то странно, заговорщически, кивнула куда- то в направлении гроба. Я взглянула в ту сторону...

Ян... Пан Красовский!

Кажется, у этого человека устраивать похороны уже вошло в привычку. Более того, он сам и руководил похоронной процедурой. Вероятно, просто в соответствии со своей привычкой руководить всем, что движется. И даже тем, что уже не движется.

И вот интересно: публика подходила с соболезнованиями именно к нему. Очевидно, в отсутствие намека на каких бы то ни было родственников Тадеуша, образовалась ниша, и пан Ян ее, конечно, заполнил собой, интеллигентно говоря. А по-русски это называется: «каждой бочке затычка»!

Подошла и я... чтобы положить цветы.

Вообще, чем решительнее и горячее люди расстаются и рвут отношения, тем меньше они готовы к встрече.

Неожиданно для самой себя я уронила букет. Как ни в чем не бывало, «акула бизнеса» подхватил цветы и — не вручать же обратно оброненное четное количество лиловых ирисов? — сам положил их на гроб Тадеуша.

— Благодарю за сочувствие! — чинно поблагодарил он меня.

Я лишь кивнула, глядя вдаль и вкось, поверх его уха. Отнюдь не собираюсь встречаться взглядом с этими чистыми наглыми серыми глазами.

И тогда, почти не выходя за рамки траурной церемонии, он поцеловал мне руку. Показалось мне или нет, что он все-таки за них вышел, задержав мою руку в своей?

Жана Ле Мура на похоронах не было.

* * *

После похорон Тадеуша я несколько замешкалась на кладбище. Публика в трауре уже разошлась. Естественно, я невольно вздрогнула, когда заметила в сумерках надвигающуюся на меня массивную фигуру.

— Уфф! — вздохнула я с облегчением, разглядев полицейскую форму.

Как ни «достал» меня пан Усы, но на кладбище все же лучше такая встреча, чем...

Что ж, рано или поздно, но объяснение с ним должно состояться. Странно, однако, что в таком месте и в такое время, сразу после похорон Тадеуша! Но полиции, конечно, как всегда и везде, видней.

— Это уже задержание? — храбро усмехнулась я в лицо стражу порядка.

Пан начальник только покачал головой.

Вообще он был как-то не слишком похож на самого себя. То есть не очень похож на начальника полиции. Плечи опущены, и вид не начальственный. Можно даже сказать, что вид у пана Усы был грустный.

— Как? Вы меня не арестуете? — я не скрывала насмешки.

— Возможно, вас вообще не нужно арестовывать, пани.

— Но вы же уверены, что я наврала вам про письмо от пани Зборовской! Да еще я зачем-то пришла к ней в дом, а саму пани, оказывается, чем-то опоили... На вашем месте и я бы задумалась. Разве не подозрительно?

— Конечно, подозрительно.

— Ну, и?

— Не скрою, пани, я приглядывался к вам. Странное наследство, которое вы получили, ваше неожиданное появление в Тальборге... Знаете, есть такой сорт мошенниц, что охотятся за наследством старых дам.

— Благодарю. Надеюсь, пани Зборовская ничего мне больше не завещала?

— Ваше счастье, нет.

— Повезло!

— Прошу прощения, пани, я ведь полицейский. Это моя работа.

— Что же случилось теперь?

— Один мой друг, — вздохнул пан Усы, — сказал мне как-то, что вы, пани, — человек со светлой энергией.

— Вот как? Что бы это значило?

— Знаете перечень примет хорошего человека, перечисленных в «Книге мертвых»?

— О... — только и смогла сказать я.

— Так вот, там значится о нем следующее: он никого не заставлял голодать или горевать, не убивал и не заставлял убивать других, не похищал погребальную пищу, приготовленную для мертвых, не пользовался фальшивыми весами, не отнимал молоко от уст ребенка, не ловил в силки пташек божьих...

— Что касается меня и пташек, молока, весов, погребальной пищи, а также, конечно, криминальных преступлений, то тут точно нет! Но кто же он, этот ваш друг?

Мой собеседник вздохнул:

— Мы только что простились с ним.

— Что? Вы хотите сказать...

— Вас это удивляет?

— Тадеуш был вашим другом?!

— Хотите сказать: юродивый — и начальник полиции?

— Ну, в общем... Не могу поверить!

— Знаете, он не всегда был таким.

— Правда?

— Бывают события, которые делят судьбу пополам. Одну жизнь, пани, на две разные жизни! Представьте: преуспевающий талантливый столичный скульптор, модник, острослов... А потом — трагедия! У Тадеуша погибла возлюбленная. Юная прекрасная женщина.

— Мне жаль... Я ничего не знала!

— Непонятная и печальная история. То ли самоубийство, то ли... Впрочем, это так и осталось загадкой. Как полицейский могу заметить: именно неразгаданные загадочные смерти близких людей не дают покоя живым и очень влияют на их жизнь. — И пан Усы как-то чересчур испытующе на меня поглядел. Но я промолчала. — Во всяком случае, Тадеуш очень изменился после той трагедии. Некоторые даже считали, что у него...

— Крыша поехала?

— У него действительно появились странности. Он вернулся жить в Тальборг. Сначала преподавал в нашей детской школе искусств. Но год за годом все больше отдалялся от реального мира, уходя в общение с «потусторонним». Со многими из нас это происходит, когда близкие внезапно нас покидают, не так ли? Тени нам становятся ближе живых. В общем, в конце концов Войцеховский пошел работать сторожем в замок. Янек сто раз предлагал ему перебраться в Варшаву. Ну, и вообще, побриться...

— Что? Красовский?

— Ян его ученик. Он ведь тоже родом из Тальборга. Тадеуш (надо отдать ему должное, дети всегда его любили) когда-то предавал ему первые уроки живописи. Потом, когда старики Красовские умерли, Ян — ему тогда было лет восемнадцать — уехал в Варшаву, сменил живопись на бизнес. Картинками сыт не будешь...

— Вот как?

— Кстати, пани, Тадеуш Войцеховский также говорил мне, что вы будто бы подозревали его в смерти Ванды Зборовской?

— Ах, вот как... Рассказал?

— Должен рассеять ваши подозрения и успокоить: он никоим образом не причастен к ее гибели. У него, довожу до вашего сведения, было абсолютное алиби.

— Интересно... Ну а тот второй... этот ваш Янек?

— Красовский? — Пан пожал плечами. — У него тоже алиби.

— И тоже абсолютное?

Пан Усы лишь кивнул.

— Интересно... Что же это, однако, означает — «абсолютное алиби»?

— Это значит, пани, что в тот час, когда Ванда пила чай, они пили пиво.

— Ах, вот, значит, что такое абсолютное алиби! Теперь буду знать.

— Правда, тут необходимо небольшое уточнение, пани. Видите ли, они пили пиво со мной.

— Ну, это, конечно, кардинально меняет ход расследования! — Я вздохнула. — Особенно если пить пиво по утрам... Ну а по вопросам экономической деятельности пана гостиничного магната у вас тоже нет вопросов?

— В отличие от некоторых других подозреваемых, — пан Усы произнес это со значением, — у полиции нет вопросов к пану Красовскому.

Он вдруг замедлил шаг и остановился. Возле надгробия из светлого мрамора.

Это была фигура воспаряющего ангела — в длинном светлом распахнувшемся, как крылья, платье. Или можно было и так сказать — фигура девушки с белоснежными раскрывшимися за спиной крыльями.

«Летиция Блажек, — прочитала я выбитую на мраморе надпись. — Ей не было восемнадцати...»

— А что касается этой девушки... — Пан Усы хмуро глядел памятник, возле которого остановился. — Не обманывайте себя иллюзиями, пани.

— То есть?

— Она мертва!

— Откуда такая уверенность?

— Если вас волнуют доказательства, можете ознакомиться с протоколом опознания, подписанным господином священником, ее опекуном, и другими весьма уважаемыми жителями нашего города, хорошо знавшими Летицию.

Я растерянно молчала.

— Этот памятник Тадеуш сделал собственноручно, — пробурчал пан Усы, снова двигаясь в путь.

Пока мы разговаривали, сумерки уже окончательно сгустились над кладбищем.

Уходя, я оглянулась. И замедлила шаг: на зеленом прямоугольнике травы возле мраморного ангела всплыло голубоватое облачко ночных фиалок.

За воротами кладбища я хотела распрощаться, но пан Усы подвез меня до дома.

— Значит, говорите, музыка у соседей больше не играет? — задумчиво произнес он, выходя вслед за мной из машины и глядя на поблескивающий звездами туманный флер раннего вечера, зацепившийся за островерхие кровли прижавшихся друг к другу «домов-любовников».

— Нет, больше не играет. — Я вздохнула.

— Любопытно...

Конечно, я не стала посвящать пана начальника полиции в историю «изгнания призрака». Увольте! Один раз он уже почти принял меня за сумасшедшую.

— А что, ваш друг часто сюда заходит?

— Жан? Почему вы об этом спрашиваете?

— Раньше он часто навещал этот дом.

— Что?

— Я хочу сказать, что пани Бернстейн много общалась с этим молодым человеком незадолго до своей смерти.

— Жан был знаком с Мари?

— Конечно. У них были дружеские и очень теплые отношения. Он вообще, похоже, из тех, что любят распивать чаи со старыми дамами. — Пан полицейский как-то странно хмыкнул. — Разве он не упоминал об этой дружбе?

— Ни разу. За все время нашего знакомства!

— Странно... Впрочем, пани, я ничего не хочу сказать о вашем приятеле дурного.

И с этими словами пан Усы удалился.

* * *

Не знаю, что и думать! Разговор с паном Усы все перевернул в моей голове, и теперь она воистину идет у меня кругом. Все, оказывается, не совсем так — или даже совсем не так! — как я это себе представляла.

Кроме того, теперь, когда чудаковатого сторожа нет в живых, я больше доверяю его интуиции сумасшедшего. И ищу смысл в его словах и поступках. То есть делаю то, от чего прежде так насмешливо отказывалась.

И вот, покидая после очередного рабочего дня замок, я снова задержалась возле окошка кассы на выходе у главных ворот.

— Помните, вы говорили, что существует такое предание: чтобы проверить клятву возлюбленного, надо в ночь на первое ноября оказаться с ним в замке?

— Да? — Пани кассир подняла глаза от книги.

— И еще вы говорили, что, похоже, проверка не удалась.

— Да?

— И насчет того, что если девушка бросается с башни, то значит, возможно, на то есть причины.

— Да?

— И что ходили упорные слухи, будто бы Летиция Блажек с кем-то встречается. И даже будто бы...

— Что вас все-таки интересует? — не выдержала пани кассир.

— Мне показалось, вы знаете, больше, чем говорите!

— Возможно, — польщенно согласилась пани.

— Столь проницательному, тонкому и наблюдательному человеку, как вы, — продолжала я льстить без зазрения совести, — наверняка не составило труда догадаться, в кого эта девушка была влюблена.

— Не стану отрицать...

— Так в кого, пани? Как вы считаете? С кем она встречалась?

Пани кассир молча и непроницаемо смотрела на меня.

— Только не говорите «откуда же мне знать»! — умоляюще воскликнула я.

— Правда?

— Когда люди так говорят, они наверняка что-то знают. Уж не знаю откуда, но знают!

— Ну, если вы в этом так уверены...

— То?

— Спросите своего приятеля.

— Я с ним больше не общаюсь! — холодно парировала я.

— Правда? А мне показалось, вы дружны, как никогда.

— То есть? Вы имеете в виду не...

— Вы спросили — я ответила.

— Вы хотите сказать, что, — земля ушла у меня из-под ног, — Летиция Блажек была влюблена в господина Ле Мура?

Глава 5

Дождь, море и река... Запах дождя, моря и реки — таков воздух этого города. Бывший Данциг — волшебный город. Водостоки его Мариацкой улицы венчают каменные звериные головы. Эти каменные головы придают Мариацкой улице особенный, немного заколдованный вид, что, впрочем, вполне согласовывается с теми «случайными происшествиями», которые сопровождают меня в последнее время. Если чудеса случаются, они, конечно, должны происходить именно в таких декорациях.

Мне надо было развеяться. Выбраться из Тальборга и его замка. Хотя бы недалеко. Ну а от нашего замка до Гданьска рукой подать.

С грустной каменной головы, возле которой я остановилась, позеленевшей от времени и влаги, срывались редкие дождевые капли. Дождь закончился.

Основная жизнь мокрой улицы сосредоточилась под зонтиками уличных кафе и ресторанчиков. Я остановилась возле того, где мы ужинали с Янеком. Стоит ли упоминать, что я, разумеется, выбрала именно этот ресторанчик всего лишь потому, что здесь не было музыки?

Середина была плотно занята, оставалась лишь пара столиков с самого краю. Я наметила тот, что меньше пострадал от дождя. Неподалеку расположилась компания мужчин. Они говорили по-английски: что-то про сумасшедших, которые расплачиваются наличкой. Обычные разговоры о каком-то бизнесе.

Как только я стала пробираться к намеченной цели, один из них вскочил со своего места и бросился мне наперерез.

Можно сказать — напугал! По нашей отечественной привычке драться за место под солнцем (и уж тем более за место, где сухо) безо всяких оглядок на пол и возраст, я вообразила, что джентльмен кинулся мне наперерез, чтобы заорать что-нибудь вроде «здесь занято!».

Но пан просто переставил стол подальше под зонт, отодвинул мокрый стул, подвинул мне другой.

— Так будет лучше, — заключил он.

Столько стараний, чтобы спасти меня от дождя!

Поляки вообще ставят русских женщин в тупик: они открывают перед ними двери, подносят чемоданы... Их галантность по отношению к женщинам не укладывается в голове.

Кроме того, русские дамы, не привыкшие к мужской вежливости, обычно расценивают такие знаки как проявление мужского интереса. Я в этом смысле не исключение.

Но все было бескорыстно, пан вернулся к своей компании.

А я в ожидании официанта достала сигареты. Услужливый пан был чем-то похож на... В общем, на какое-то мгновение неожиданно для меня самой сердце у меня сжалось. Жаль все-таки, что единственный мужчина, которого я мечтала бы сейчас видеть, никогда уже...

Рядом щелкнул огонек зажигалки. Ну, вот и официант...

Я подняла голову.

Это был он... Ян Красовский!

Он стоял рядом, огонек его зажигалки вздрагивал на ветру.

Молчание затягивалось.

— Мне уйти? — наконец поинтересовался он.

— Хотите совет?

— Достаточно приглашения!

— Здесь есть еще один сухой стул, — я пожала плечами, демонстрируя безразличие.

Он сел напротив, и некоторое время мы сосредоточенно наблюдали за передвижениями официанта. Есть такой вид развлечения, когда людям, сидящим друг против друга за столиком ресторана, непонятно, о чем говорить друг с другом.

— Вы скрывали от меня, что скупаете дома, — я наконец открыла счет.

— Не такой уж это было и тайной.

— Правда?

— Да нечего было скрывать, Эмма! Это не страшная тайна, а обычная, коммерческая.

— Неужели?

— Конечно, я не кричал об этом на каждом углу — чтобы конкуренты не слетелись и не перебежали дорогу. Бизнес есть бизнес. Но, в общем, в Тальборге о строительстве отелей знают все...

— И молчат!

— Видно, не слишком, если все-таки рассказали.

— Их запугали!

— Не смеши. Если в городе уклонялись от расспросов, то лишь потому, что люди хорошо ко мне относятся. Я вырос в этом городке. А ты вот чужая, появилась неизвестно откуда. Зачем им с тобой откровенничать?

— Вот как?

— Ничего криминального я не совершаю. Предлагаю владельцам домов хорошую компенсацию. Они даже рады продать дома: многие хотят уехать из Тальборга, потому что нет работы. Для них это выход. И уж конечно — извини, дорогая, не оправдал твоих подозрений! — я не убивал каждого, кто проник в мою «страшную тайну».

— Зато втерся ко мне в доверие!

— Иногда ты говоришь пошлости.

— Неужели?

— Я получил твое письмо и бросил его в корзину. Это правда. Мне некогда было тратить время на какую-то незнакомую мне Эмму. И не отвечал я не потому, что не было под рукой компьютера.

— Не трудно догадаться. Врать для вас, Ян Красовский, это так естественно.

— Ты дашь мне договорить?

— Ну, хорошо.

— Потом я приехал в Тальборг. По делам!

— Делишкам!

— И увидел тебя.

Я саркастически усмехнулась:

— Любовь с первого взгляда?

Он покачал головой:

— Не знаю, с какого. Видишь ли, я знаком с тобой как минимум уже пару лет.

— Правда?

— Сначала было так: я поставил однажды стакан виски на раскрытый журнал, лежавший на столе. Потом убрал... и увидел фотографию девушки, стреляющей из лука.

— Ах, вот что...

— Там еще было что-то вроде того, что она всегда попадает в цель.

— Интервью?

Он кивнул.

— Потом я увидел рекламу. А затем приехал в Тальборг. И ты запустила в меня скалкой. Ты всегда попадаешь в цель, Эмма? На сей раз целью был я. Ты попала, дорогая. И если есть на свете дурак, который хранит глянцевый журнал с рекламой второсортного дезодоранта, так это я.

— Трогательно...

— В общем, как я уже сказал, я приехал в Тальборг и увидел тебя, лицо «Эрроу»... Дальше ты все знаешь сама. Про такое обычно говорят: «судьба» и «раз в жизни такое бывает».

— Неубедительно...

— Нужно поклясться?

— А эта Блажек?

— Если ходят сплетни, что хорошенькая девушка с кем-то встречалась, необязательно делать вывод, что встречалась она непременно со мной.

— Неужели?

— Я с ней не был даже знаком! Дом купил у ее опекуна.

— А что насчет похорон?

— Надо знать некоторые особенности этого городка.

— То есть?

— Если некому заплатить, обращаются обычно ко мне.

— Кстати... Я тоже хочу продать свой дом.

— Вот как? — Ян нахмурился.

— Разве это не то, что тебе нужно? Скорее снесешь старье на улице Свентого Духа и откроешь свои отели.

— Нет, это не то, что мне нужно, — ответил он.

— Правда?

— Точнее сказать, это далеко не все, что мне нужно.

— Что же тебе нужно еще?

— Догадайся с трех раз.

Гадать я не стала. Но мы помирились с паном Яном Красовским. Однако примирение это ничего особенного не значит. Разорвать отношения легко, а соединить... даже при всем желании сложно. За время ссоры становишься немного другим, вот в чем дело.

* * *

Возле дома меня ждал пан Усы.

Причем рядом с его белым «Фордом», заметно оживляя пустынность улицы Свентого Духа, стояла еще одна полицейская машина. Час от часу не легче!

— Какой сюрприз, — без особой радости в голосе произнесла я.

— Всего один вопрос, пани...

— Да?

— Вы крепко спите?

— Что?

— Я говорю, вы обычно крепко спите?

— Последнее время да...

— Видите ли, возможно, в вашем доме бывают посторонние.

— Посторонние?

— Кто-то открывает дверь дома в ваше отсутствие. Или даже при вашем присутствии, если вы, конечно, крепко спите.

— Да с чего вы взяли? — Я растерянно смотрела на пана начальника полиции.

— Видите ли, не так уж мы равнодушны к вашим подозрениям и жалобам! — Он одарил меня радушной улыбкой.

— Нет?

— Не так уж и халатно мы относимся к своим обязанностям!

— Правда?

— И не так уж поверхностно мы проводим осмотр дома, как вам могло показаться! — продолжил пан Усы.

— Это верно: могло!

— Так вот, пани... — Полицейский нахмурился. — Наши специалисты сегодня исследовали — уж извините, не успел уведомить! — ваш дверной замок...

— Что?!

— И обнаружили на нем царапины от отмычки.

— Но... что все это значит?

— Я думаю, вам не следует более оставаться в доме Марии Бернстейн.

— То есть?

— Во всяком случае, до тех пор, пока не прояснятся обстоятельства смерти пани Зборовской.

— Вот как? А что насчет смерти Мари?

— Мне всегда была подозрительна эта внезапно появившаяся тяжелая форма аллергии. Отеки, распухшие веки... Ведь пани Бернстейн никогда прежде аллергией не страдала. Так что меня, конечно, интересуют, — мрачно произнес полицейский, — обстоятельства и ее смерти.

Я невольно кивала, слушая его. А пан Усы продолжил:

— И конечно, вам не следует здесь находиться одной до тех пор, пока не раскрыта причина смерти моего друга Тадеуша.

— Как... разве... Вы полагаете, что плита, которой его придавило... Так это не было случайностью?

— Я верю в законы физики и не верю в летающие предметы, пани. Плита не могла упасть сама.

— Но...

— На вашем месте я подумал бы о том, куда переехать!

Я задумалась. И отметила про себя, что пан начальник полиции, озвучивая свой список, не назвал имя Летиции Блажек, словно совсем позабыл о ней. А я нет, я не забыла.

* * *

— Жан, говорят, что эта девушка, Летиция... — заговорила я при встрече с моим другом.

Он, как обычно, «материализовался» возле лиственницы, когда я на следующий день возвращалась домой после работы.

— Да?

— Что она была влюблена.

— Правда?

— Правда!

— В кого же?

— Говорят, что она была влюблена в вас...

Я взглянула ему в глаза. Хотя последнее время старательно этого избегала.

— Вас это удивляет?

— Меня не очень, — честно созналась я.

— Так стоит ли так волноваться?

— Я не волнуюсь, — не слишком правдоподобно солгала я.

— К тому же я даже не был с знаком с Летицией Блажек.

— Правда? — обрадовалась я.

— Говорю вам, это сплетни!

— Сплетни? — переспросила я. Как же я была счастлива услышать его слова!

— Ну, конечно, пару раз я замечал, что девушка, проходя мимо, как-то особенно на меня смотрит... — начал он пояснять. А мне было так приятно, что он оправдывается. Если бы он еще оказался реабилитирован! — Но, уверяю, я и не подозревал о ее чувствах. И уж тем более я никогда с ней не... встречался, как это говорится. Могу даже поклясться. Хотите?

— Нет, — вздохнула я с облегчением, — не надо. Клясться совсем необязательно.

Глава 6

Уже несколько дней я живу в отеле «Тальборг». Неуютном (времен социалистического строительства, сплошные стекло и бетон), в новой части города.

Кстати, это единственный отель в городе, который не принадлежит Яну Красовскому.

Я езжу на работу в замок оттуда. И мне, конечно, не хватает ступенек Марииного дома, звезд и фиалок. Но что делать!

Переехала я прежде всего потому, что на этом настаивал пан полицейский. Он очень настойчиво убеждал, что мне опасно оставаться в доме на улице Свентого Духа. И я согласилась. Кажется, это правда. Я ведь не знаю, кто оставил царапины на замке. И, главное, не понимаю, зачем кому-то понадобилось проникать в мой дом. В дом Мари!

Я теперь стараюсь избегать не только встреч с Яном Красовским, но и с Жаном Ле Муром. А ведь как когда-то к ним стремилась!

С одной стороны, такое мое поведение вызвано тем, о чем сказал пан Усы. Если верить пану полицейскому, Ле Мур часто пил чай с Марией Бернстейн, но даже словом не обмолвился об этом со мной! К тому же некоторые открывшиеся подробности не позволяют мне доверять всем словам Жана.

С другой стороны... Теперь, после гибели Тадеуша, я всерьез задумалась и над предостережениями чудаковатого сторожа. Его смерть придала им особую достоверность. Кроме того, пани кассир намекала, что Ле Мур встречался с Летицией Блажек. Правда, ее намеки больше никак пока не подтверждены.

Заподозрить в проникновении в мой дом можно, конечно, кого угодно. И Яна, и Жана, даже пани кассира или Элжбету. Но главное — понять мотив! Зачем кому-то это понадобилось? Ответа на данный вопрос у меня не было. Я даже предположить ничего толком не могла.

А сама Летиция? Жива она или мертва? Девушка в платье, похожем на облако ночных фиалок, — дух она или ловкая мошенница?

Но если она все-таки погибла... Что это было? «Самоубийство или даже насильственная смерть», как сказала однажды Элжбета?! Ее слова не дают мне покоя. (Конечно, вся эта история тянет на душещипательную байку о юной самоубийце в веночке из фиалок, не находящей себе покоя. Но поживите с мое в Тальборге, побродите по коридорам его замка, вам еще и не такая история пригрезится.)

Отчего Летиция погибла? Если это был несчастный случай, то как все произошло? Второй вариант — насильственная смерть. Но если девушку столкнули с башни, то кто? Вариант третий — самоубийство. Тогда встает вопрос — что довело ее до суицида?

Если и правда, как утверждают некоторые, что причиной была несчастная любовь, то... В кого была влюблена Летиция? Гадания на эту тему уж и вовсе не оставляют меня равнодушной.

Ян или Жан?

Лично я теперь не верю ни тому, ни другому. То первое предположение кажется мне верным, то второе. В конце концов, и совсем невероятное приходит мне на ум. Хотя... что тут невероятного? Я-то умудрилась влюбиться в обоих. Может, и Летиция?

И вообще... Моя работа в башне, надо признаться, порядком мне надоела. Я разочарована в Тальборге. Я не верю никому. Я хочу уехать.

Потеряно столько времени! А я так и не придумала, что мне делать в жизни дальше. Уж точно — не сидеть остаток дней в Угловой башне.

В общем, я готовлюсь к отъезду. Хочу оформить договор купли-продажи. Надеюсь, сумма, предложенная мне за дом «акулой бизнеса», будет более или менее приличной.

* * *

Сегодня, отсидев положенное время в башне, я решила зайти в дом Мари Бернстейн, чтобы забрать кое-какие вещи. Но это было, конечно, не единственной причиной.

Мне очень хотелось самой осмотреть квартиру, вот в чем дело. Теперь, когда я знаю, что в доме бывает кто-то еще, я все должна увидеть «в новом свете».

Что вообще мне известно? Полиция обнаружила царапины, оставленные отмычкой... Кто-то открывает дверь дома в мое отсутствие. Или даже при моем присутствии, если я крепко сплю.

Тогда становится понятным и странное отсутствие пыли. Кто-то вытирает ее, чтобы не оставалось следов! Вытирают, конечно, не пыль, а отпечатки пальцев. Кто-то что-то ищет в доме Мари. Причем уже давно. Ведь, насколько я помню, пыли нет с самого моего приезда. Я еще тогда, в первый день, этому удивилась. Да и пан Усы говорит о «неоднократных проникновениях».

Ладно, что-то там ищут. Но почему так долго не могут найти? Это вопрос!

Ну, если никак не могут найти, значит... Ага, значит, там есть тайник! Поэтому поиск и занимает столько времени. Возможно, некто осматривает и простукивает осторожно весь дом, стены и полы, шагом за шагом. Ведь у Марии в доме идеальный порядок. Я изучила ее дом до последнего уголка. Все «прозрачно», как сейчас любят говорить. Во всяком случае, нет никаких завалов, ничего такого, чтобы шарить из ночи в ночь, изо дня в день.

Но кто-то ищет!

Кто? И что может быть в этом тайнике?

Причем тот же человек, как предполагает пан Усы, забрал и письмо пани Зборовской. «Это письмо у вас могли и позаимствовать, — сказал он. — Видите ли, когда в доме бывают посторонние, письмо могли и украсть!»

Зачем? Ясное дело, чтобы подставить меня полицейским.

Во-первых, я могла просто мешать. Находясь в доме, я мешала чьим-то поискам, и тот человек был заинтересован в том, чтобы я его покинула.

Во-вторых, это мог быть просто обычный прием, характерный для преступников: отвести от себя подозрения полиции, перевести их на другого. Тогда, значит, это тот же преступник, что отправил на тот свет подругу Марии Ванду Зборовскую. И саму Мари! Или он имеет какое-то отношение к этим смертям. Ведь неизвестно, сколько времени он проникает в дом. Вполне же возможно, что и до моего появления проникал.

Раздумывая обо всем этом, я поежилась, представив, какой опасности я подвергалась.

Но кто? Кто это может быть? Ума не приложу...

Размышляя обо всем этом снова и снова, я бродила по дому Марии.

После отсутствия, даже недолгого, все, как известно, можно увидеть якобы свежим, обновленным, «незамыленным» взором.

Увы, я ничего не увидела!

И разочарованно отправилась на кухню ставить чайник.

* * *

В шестом часу вечера я пила зеленый чай с жасмином, вяло разглядывая картинки на стене...

Надо сказать, что одну из стен в гостиной Марии почти целиком украшают многочисленные изображения замка. Гравюры, живописные этюды, дагерротипы, фотографии, акварели разного размера, разных лет.

Что ж, и понятно. Замок заполнял всю жизнь Марии. Он заменил ей в жизни и детей, и мужчин. Замок Тальборг был для нее и любовью, и работой. Замку она была предана, его любила, была ему верна. Ему были отданы все ее заботы и помыслы. Поэтому вполне естественно, что на стене гостиной Мари Бернстейн висят не портреты родственников, а изображения замка.

И, разумеется, Мария не была бы Марией, если бы и здесь не навела порядка. Гравюры, старые фотографии, акварели — все они развешены в строго хронологическом порядке.

Вот, например, один ряд гравюр: Гуго Ульбиха «Вид из-за реки на замок», датированная 1907 годом; слева ей предшествует акварелька 1900 года, а за ней следует фотография замка, на которой он запечатлен в 1912 году; дальше висит другая, изображающая, конечно же, его, родимый, но году в 1920. Ну, и так далее.

В половине шестого я все еще пила зеленый чай с жасмином и продолжала вяло разглядывать череду этих изображений. Тальборгский замок такой, Тальборгский замок сякой... По правде говоря, меня уже немного подташнивало от него. Ужасная крамола: замок мне надоел! Бедная Мари, что, если она *там* читает мои мысли?

И вдруг... То, что я вдруг осознала, подействовало на меня, как электрический разряд!

Между двумя черно-белыми фотографиями замка, датированными 1965 годом (слева) и 80-м (справа), висел под стеклом и в черной лакированной рамке небольшой написанный маслом пейзажик.

Надо сказать, я и прежде уже неоднократно им любовалась. Но теперь — вот он, свежий взгляд! — мне вдруг пришло в голову, что и трещинки на живописной поверхности, и состояние рамы говорят о том, что пейзаж этот — совсем из другого временного промежутка. Как минимум из другого века, а стало быть, место ему в верхнем ряду коллекции.

И я подошла поближе. Дату я обнаружила — ее оставил сам художник: 18... Далее, правда, не очень разборчиво. Но это уже было неважно! Важно было другое — неизвестный художник баловался живописью именно в девятнадцатом веке, а вот висела картинка в нижнем ряду, среди изображений замка, датированных веком двадцатым.

Это был непорядок. А до пейзажика и после него висели вполне современные акварели и фотографии, расположенные по хронологии. Там везде был порядок!

Кто-то перевесил пейзажик в черной рамке, поменял местами с другой картинкой?

Я сняла картину со стены. Зеленые обои не выцвели под ней, и было понятно: она висела так, как ее повесили с самого начала, сразу после ремонта, на новые обои. Прямоугольники невыцветших обоев под другими рамками, когда я их приподняла, тоже точно соответствовали их размерам.

Значит... Мария сама нарушила порядок.

Но ведь этого не может быть. Потому что не может быть никогда!

Оставалось предположить, что она решилась на такой «ужасный поступок» — нарушение порядка и хронологии — во имя какой-то цели. И что цель того заслуживала.

Действительно, если в доме есть тайник, то как было обозначить это место?

Я сняла картину со стены. Нет, никакого тайника я за ней не обнаружила. Поставив картину на стол и прислонив к вазе, я налила себе еще чаю и стала рассматривать ее внимательно.

Это был написанный маслом этюд, очевидно любительский, изображавший Верхний замок, восточное его крыло. На небольшом холсте, с которым неизвестный художник отправился когда-то ясным солнечным утром на пленэр, был вполне узнаваемо запечатлен так называемый Дом Конвента. Я узнала ряды его стрельчатых окон, освещенных солнцем девятнадцатого века...

Закатное солнце века нынешнего било в окно, подсвечивая старый холст стоявшей передо мной на чайном столе картины. Я сделала глоток зеленого чая. И замерла, словно гость на пиру у царя Валтасара, увидевший, как на стене проступают слова «мене, текел, фарес».

Слова словно всплыли среди облаков, плывущих над замком в верхней — светлой — части картины. Они проступали, просвечивая сквозь тонкий слой масляной краски. Похоже, это была латиница, но прочитать буквы было невозможно. Зеркальное отражение? Одно было очевидно: над изображенным на холсте замком ясно просвечивала какая-то надпись.

Я взяла картину за багет, перевернула. Сзади она была затянута старой марлей. Очень аккуратные люди делают так, чтобы не скапливалась пыль. Ведь пыль «съедает» холст. Видно, не только последняя хозяйка дома, Мария Бернстейн, была чистюлей, но и ее предки или предшествовавшие владельцы картины заботились о холсте.

Некоторое время я разглядывала этюд со всех сторон, а потом решилась — отодрала марлю. И увидела несколько выцветших от времени слов.

«Там, где нет огня» — прочитала я по-французски. Рядом стояли латинская буква S и цифры: 7 и 6. Кто-то довольно небрежно написал все это чернилами на обратной стороне старого холста.

Семь и шесть. Латинская буква S. И «там, где нет огня». Il n'y a pas de feu...

Разволновалась я невероятно.

Что это означает? И не есть ли эти несколько слов то самое, что ищет в доме Марии неизвестный визитер?

Что, если это указание на тайник?

Но что в нем таится и где же он находится?

А если тайник находится не в доме Марии? И потому его и не могут найти...

Я снова перевернула картину, вглядываясь в ряды стрельчатых окон, освещенных солнцем. Словно пытаясь разглядеть, что там, за ними.

Дом Конвента...

Я попыталась припомнить расположение находящихся в нем музейных залов... Потом взяла современную схему замка и стала внимательно ее разглядывать. Естественно, меня интересовало восточное крыло Верхнего замка. В Доме Конвента два яруса. Внизу, на первом ярусе, находится «спальня рыцарей». Приземистое низкое помещение, свод которого подпирают три мощные круглые колонны. В нем сейчас музейная экспозиция рыцарских доспехов. Я не слишком хорошо его представляю себе, поскольку никогда там не задерживалась, так как это место облюбовал для себя призрак малютки-рыцаря.

Наверху, во втором ярусе, комплекс парадных помещений: зал Конвента и большая зимняя трапезная. Прекрасный ребристый свод трапезной поддерживают семь стройных колонн. Первоначальный свод был уничтожен во время прусской перестройки. При Фридрихе трапезную переделали под военный склад — король не любил Средние века.

Ныне существующий свод создан в результате реконструкции, целью которой было восстановление трапезной в первоначальном виде. Это случилось в девятнадцатом веке, когда претворялся в жизнь великий план реставратора Конрада Стейнбрехта. Именно благодаря его «романтической реставрации» этот семиколонный зал восстановили в полной красе.

Теперь там зал временных выставок, и я нередко туда захожу. Ведет в трапезную лестница, освещен-

ная знаменитым витражным окном мастера Гасельбергера.

Рядом с большой трапезной находится зал для
послеобеденного отдыха. С галеркой, на которой играли музыканты. Это помещение выше, и его кре-
стообразный свод покоится на трех колоннах.

Которое же из всех этих помещений имел в виду
человек, сделавший надпись на старом холсте?
И что, если там... ну, пусть не безумные сокровища...
но что-то ценное?

Разволновалась я, как уже было сказано, неожиданно для себя самой, невероятно.

Этюд я вернула на прежнее место.

Кстати, почему пейзажик помещен именно там?
Чем мог быть 1965 год знаменателен для Марии
Бернстейн?

Голова идет кругом. Вот так находка!

И кто все-таки знал, что в доме тайник, кто ис-
кал его?

* * *

Едва открылся музей, я вместе с первыми посе-
тителями уже была в Доме Конвента, в восточном
крыле Верхнего замка.

Семь и шесть. И «там, где нет огня». Да еще ла-
тинское S.

Эта буква... Она задевала меня более всего. Что
она означает? И почему-то она связывалась в моем
сознании с дормиторием, спальней рыцарей.

И вот я переступила порог зала доспехов. Быв-
шая спальня монахов и орденских рыцарей сохрани-
лась с тринадцатого века. Свод здесь подпирают
массивные столбы.

Я сделала несколько шагов и остановилась, пораженная верностью своей догадки.

Мои сомнения были разрешены: вот она, буква S. Таинственная буква, можно сказать, украшала одну из стен этого зала.

Точнее, украшал ее огромный, во всю стену, фламандский гобелен восемнадцатого века. На этом уникальном произведении искусства был изображен «Свадебный пир Самсона». Samson!

Не заметить, пройти мимо такого знака, знаете ли, трудно.

Но что значат цифры «семь» и «шесть»?

В общем, я провела немало времени, разглядывая и изучая доспехи, представленные в экспозиции. Нет ведь ничего подозрительного в этом очень интересном и познавательном занятии, правда? Особенно в Тальборге, где, если не заниматься самообразованием, попросту умрешь со скуки.

Передвигаясь по залу с видом задумчивого экскурсанта, я оглядывалась по сторонам, стараясь не слишком привлекать к себе внимание. Семь и шесть... Может, надо отсчитывать шаги? И что значат слова «Там, где нет огня»?

Что же это может быть за тайник? Я вижу лишь сплошной мрамор стен. Значит ли это, что клад замурован?

Что дальше? Заняться простукиванием стен в попытке найти пустоту? А если я услышу ее, что тогда? И смех, и грех...

Стоит ли вообще игра свеч? Слова, написанные на обратной стороне картины, могут ровно ничего не значить. И я бы, конечно, так и подумала, если бы не чьи-то таинственные визиты в дом Мари, в которых не сомневается даже полиция.

Нет, мне определенно надо посоветоваться с кем-то из старожилов. Но с кем?

Нет, только не с паном Усы. Полиция подождет. Ведь клад по закону, скорее всего, принадлежит государству? И надо сначала выяснить, на каких процентах мы будем его делить. Нет, не стоит торопиться с полицией.

Наверное, правильнее всего было бы, разумеется, поговорить с Элжбетой. Кто еще знает замок лучше, чем она? И она работала вместе с Марией. Но Элжбета слишком большой патриот замка. Если она заподозрит... Нет, она никогда не одобрит то, что я задумала!

Посоветоваться я решила с пани кассиром — наиболее, на мой взгляд, прагматичным существом в Тальборге. И если она скажет мне свое неизменное: «Не берите в голову»... пусть тогда этюд висит себе на стене в доме Мари Бернстейн. Я спокойно забуду о нем.

* * *

— Как вы думаете, что это?

Я пригласила пани кассира в гости, в дом Марии. И когда мы немного почаевничали: мята, имбирные пряники и сервиз с наядами, — сняла этюд со стены.

Нет, пани не произнесла своей излюбленной фразы. Пани кассир также не стала пожимать плечами или говорить, что ей некогда заниматься пустяками.

Мне показалось даже, что пани сделала стойку.

И потянула носом воздух тайны, словно хорошая охотничья собака.

Она внимательно рассмотрела надпись, потерла ее пальцем, даже понюхала холст, разглядела на свет...

— Такие чернила давно уже не выпускают, — заключила она. — Довоенные!

— Значит, надпись сделали до войны?

— Угу... — кивнула она. — До Первой мировой.

— Вот как?

— Возможно. Но необязательно. Знаете, как это бывает с запасами бумаги и чернил: они могли храниться долго.

— Значит, все-таки надпись могли сделать и после Второй мировой войны?

— Могли. Но... уж очень сильно она выцвела. А ведь на обратную сторону картины солнце не попадает.

— Точно! — Я с удивлением обнаруживала в рассуждениях пани кассира поистине детективную проницательность. — Значит, с той поры как сделана надпись, вы думаете, прошло немало времени?

— Очень немало.

— Интересно!

— Возможно даже, что надпись сделали, когда был закончен этот этюд. И той же рукой!

Я снова кивнула.

— И конечно, это не почерк Мари Бернстейн.

— Верно, это не ее рука, — согласилась я. — Я уже об этом думала. Ведь я читала ее завещание.

— Хорошая рука! — снова заключила пани кассир, продолжая разглядывать холст. — Уверенная. Этюд написан небрежно, но профессионализм все равно чувствуется. И, судя по манере, наш художник трудился где-то на заре девятнадцатого века.

— Понятно.

— И еще: тот, кто это писал, явно не рассчитывал на потомков. Надпись явно сделана наспех, для себя. Возможно, на всякий случай.

Я кивала, слушая весьма и весьма проницательные рассуждения своей гостьи.

— Кстати, как вы это обнаружили? — поинтересовалась пани кассир.

— Случайно, — уклонилась я от правдивого ответа.

— Правда?

Я опустила глаза и поспешила увести разговор дальше.

— Что бы все это могло значить? — торопливо произнесла я.

Пани кассир задумалась.

— Что сказать... — Она снова помолчала.

— Уж скажите что-нибудь.

— Вполне возможно, речь идет о тайнике.

— Неужели?

— И находится он, по всей видимости, там, — она указала на окна здания Конвента, изображенные на картине.

— Что-то было спрятано?

Пани кассир лишь пожала плечами.

— По-моему, это вполне возможная версия, — между тем уверенно согласилась я. — Например, если перед началом военных действий не успевают вывезти какие-то ценности, их могут спрятать в самом же музее.

— Вы-то откуда знаете? — пани кассир одарила меня скептическим взором.

— Читала недавно в газете: найдена ценнейшая реликвия! И где бы вы думали? Да прямо в запасниках самого же музея.

— Ну, не знаю... Возможно, ошибкой будет полагать, будто что-то спрятали.

— Ошибка?

— Вот именно!

— Но почему? Разве вы не сказали только что, что надпись напоминает о месте тайника?

— Сказала. Только я не говорила, что там что-то спрятали.

— А что же тогда?

— Например, нашли.

Я изумленно воззрилась на свою гостью.

— Вдруг во время реставрации в замке что-то нашли, — пояснила она.

— Нашли?

— Почему бы и нет? Видите ли, замок многократно перестраивался. Первый раз его перестроили еще при императоре Фридрихе, и очень сильно. Доподлинно известно, например, что во время одной из таких реконструкций два небольших помещения непонятного назначения превратили в одно — убрали стену. А что, если во время этих работ что-то нашли?

— Что, например?

— Например, тайные сокровища ордена...

— Что?

— Почему бы и нет?

— Вы думаете?

— А вы нет?

— Но...

— Взять хотя бы легенду о Тени! Говорят, что с

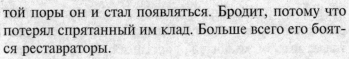
той поры он и стал появляться. Бродит, потому что потерял спрятанный им клад. Больше всего его боятся реставраторы.

— Легенда!

— Конечно, я не верю в мистику...

— Я так и подумала.

— Но подозреваю, что в этой легенде может быть рациональное зерно. Как говорится, в каждой шутке есть доля... шутки. Перефразируя это утверждение, скажем: в каждом предании есть доля предания, а есть, возможно, и кое-что от реально случившегося некогда происшествия.

— И что же, по-вашему, в этой легенде о Тени правда?

— Говорят, после того как казна была обворована, значительную часть сокровищ гроссмейстеры стали держать в тайниках. Разумеется, о них знали только самые первые лица.

— И, конечно, самый первый советник? Тень?

— Ну, разумеется. Надо полагать, этот человек знал много тайн. В том числе и касающихся сокровищ ордена.

— Кстати, вы не в курсе, — решила наконец прояснить непонятный мне момент я, — чем был 1965 год в жизни Мари Бернстейн?

Пани кассир задумалась.

Я терпеливо ждала.

— Это год, когда умерла ее мать, — уверенно произнесла моя собеседница.

— Вот как?

— Кстати, многие из Бернстейнов занимались реставрацией замка. Не только сама Мария. Двести лет, начиная с конца восемнадцатого века, замок непрерывно реставрируется, реконструируется... То разрушается, то восстанавливается. Профессия реставратора так же обычна для Тальборга, как занятие булочника. Например, одна из Бернстейнов, некая госпожа Мари Бернстейн, работала даже вместе с Конрадом Стейнбрехтом.

— Родственница Мари?

— Прапрабабушка.

— Даже так?

— Может быть, этюд ею и написан.

— Но почему тайник?

— Это пока загадка и для меня.

— А что, если тайник так и остался тайником?

— Возможно, — пани кассир кивнула.

— А что, если... — неуверенно начала я. — Знаете ли, так принято: семейные тайны передавать из уст в уста. Возможно, Мари о чем-то узнала от своей матери перед ее смертью?

— В любом случае, дорогая, постарайтесь избежать рискованных шагов.

— Что вы имеете в виду? — изобразила я крайнюю степень удивления.

— Я имею в виду, что все это может быть и опасно.

— Правда? — Я рассмеялась. — Это вы про Тень?

Пани кассир тоже усмехнулась:

— Ну, если хотите... Поскольку он ищет свой клад, то действительно может быть опасен для тех, кто попадается ему на пути.

— Правда?

— Надеюсь, вы...

— Нет, нет, что вы! Ни в коем случае! — замотала я энергично головой. — Я расскажу о своей находке...

— Э-э?

— Я расскажу пану полицейскому!

— Правда?

— Вы сомневаетесь?

— Нет, отчего же, — пани кассир смерила меня долгим и весьма проницательным взглядом.

А я в ответ улыбнулась ей еще простодушнее: чтобы у нее не осталось и капли сомнений в чистоте моих намерений. Лгать на голубом глазу, оказывается, я умею.

Проводив гостью, я стала разглядывать семейные фотографии Бернстейнов. И среди прочих дагерротип 1864 года: женщина в шляпе из соломки, с лентами, завязанными под подбородком, и с этюдником. Тоже Мария. Помощница реставратора Конрада Стейнбрехта, художница... И ведь действительно — вполне возможно, что именно она — автор этюда.

Но что она имела в виду, когда писала эти слова: «Там, где нет огня»?

Il n'y a pas de feu! Загадка.

И на следующий день, придя в замок, я снова отправилась в зал доспехов.

Битый час я завороженно разглядывала гобелен.

Наконец я отвела от него зачарованный взгляд и опустила глаза... Внизу, на полу, прямо у меня под ногами, была чугунная заслонка воздуховода.

И тут меня осенило: две гигантских печи, в чреве которых до сих пор сложены огромные полевые камни, валуны, когда-то раскалявшиеся докрасна, печи, от которых по всему замку шли воздуховоды... Достаточно было открыть в комнате вот такую круглую чугунную заслонку, чтобы из нее пошел нагретый теплый воздух.

Эти печи не протапливались, наверное, с той поры, когда из павшего под напором восставших простолюдинов замка вытащили за бороду последнего рыцаря. Il n'y a pas de feu!

Вот оно что — чугунная заслонка воздуховода... Вот что имела в виду прапрабабушка Мари, когда писала эти слова: «Там, где нет огня»... Так? Наверное, так.

На самом деле я пока еще ничего не решила. Точнее сказать, я еще не решилась признаться себе в том, на что я решилась.

На следующий день вечером в замке должно состояться представление. Вечером! Завтра ворота замка закроются позже обычного. Это редкая возможность находиться в замке, не вызывая подозрений и чтобы никто не мешал — все будут на концерте. Посетителей в зале доспехов уже не будет, служащих тоже. Что, если остаться в замке после работы? Потихоньку ускользнуть...

В общем, я не могу упустить такой шанс. Азарт кладоискательства... Кажется, это посильнее казино.

* * *

Ночью она опять мне приснилась, Мари Бернстейн.

Глаза ее были снова закрыты. Она лежала в гробу. В этом сне руки у Марии были такими же холодными, как в воспоминаниях моего детства. И тот же хохолок, как у попугайчика, как будто волосы Марии, даже готовя в последний путь, так же педантично, как она сама делала это при жизни, накрутили на бигуди.

Я проснулась в тот момент, когда у снившейся мне Мари Бернстейн дрогнули ресницы. В то последнее мгновение, когда ее глаза должны были открыться. Но даже во сне я понимала, что мертвецы не открывают глаз...

Это был очень страшный сон.

И все-таки я сделаю это. Останусь в замке. Задержусь, ускользну, проникну... Новые для меня слова, новые навыки!

Ничего не поделаешь, придется мне потревожить малютку-рыцаря!

И завтра ему меня не отпугнуть.

Глава 7

Нет ничего более сложного по исполнению и фантастичного по виду, чем рыцарские доспехи. Да еще эта невероятная «мода», возникшая в четырнадцатом веке: гибкие кольчуги сменили цельнометаллические пластины кирас, поножей, наручей. В итоге все это соединилось со временем в так называемый сплошной готический доспех, штейхцойг. Стальную скорлупу, напоминающую по очертаниям тело фантастических, чудовищных линий. Венчает это сооружение шлем особой формы, приплюснутый сверху и вытянутый вперед, с узкой смотровой щелью на уровне глаз. Называется такая штука «жабья голова».

Что касается зала доспехов Тальборгского замка, то в нем, надо заметить, располагается весьма обширная коллекция. Итальянские, английские, французские образцы защиты. Доспехи для пешего и конного боя, для поединков на копьях и прочая, и прочая.

И вот, усмиряя бешеное биение сердца, я переступила порог этого зала.

Темный, скупо освещенный дежурным светом, он, казалось, был заполнен стальными монстрами. Железными призраками ушедших веков.

Я вошла, и стальные манекены словно сдвинулись, обступая меня со всех сторон.

А что, если кто-то здесь спрятался? Лучшего места для игры в прятки не найдешь. Надел на себя такую «скорлупу» и стой, наблюдай в смотровую щель шлема. Попробуй отыщи его.

А вдруг правда? Вдруг кто-то следит за мной сквозь прорези шлема? Что скрывать, это соображение заставило меня довольно нервно оглядываться и вертеть головой во все стороны. А что толку? Поди угадай, что там внутри или кто. Не поднимать же мне каждое забрало в этом зале, густо, как лес, заставленном манекенами в доспехах.

Кстати, именно после появления сплошных металлических одежд рыцарей возникли в двенадцатом веке гербы. Это потом уже герб стал объектом тщеславия и фамильной гордости. А вначале надо же было как-то ориентироваться. Вильгельму Завоевателю приходилось поднимать забрало во время боя, чтобы соратники убедились, что это он и что он не убит. И вот воины на отдыхе помечали, разрисовывали свои щиты. Естественно, им было не до сложных рисунков. Самое простое — крест. Помеченные крестом — свои. Потом, чтобы не путаться, рисунок стал усложняться.

Предаваясь этим историческим размышлениям, я осторожно продвигалась сквозь лес доспехов от одного массивного подпирающего свод зала столба к другому. И со всех сторон на меня непроницаемо смотрели стальные «жабьи головы».

Наконец я добралась до цели. Остановилась, огляделась... Никого. Вроде бы.

Прямо у меня под ногами была чугунная заслонка воздуховода. И я попробовала ее открыть.

Это было не так просто. Наконец с трудом, но я все-таки открыла ее. Заглянула. Темно...

Неприятно, но что делать. Я пошарила рукой. Ничего! Пустота...

Я разочарованно распрямилась, и... ясно услышала чей-то стон!

Что это? Все-таки малютка-рыцарь решил пошутить? Уж не отпугивает ли он меня от сокровищ?

Стон повторился. На сей раз его дополнял страшный протяжный хрип. Настоящий, совсем не призрачный. Доносились эти звуки откуда-то из глубины зала, где стояли доспехи для пешего боя.

Я подошла поближе. Теперь передо мной был «итальянский образец» защиты, датированный началом шестнадцатого века. Время расцвета этой стальной индустрии. Стальные полосы находят одна на другую, даже локтевые и коленные сгибы защищены металлическими полосками. В таких доспехах человек был с ног до головы закован в сталь. Включая абсолютно все. Стальной гульфик, надо заметить, обычно немало умиляет посетителей музея.

То, что я увидела сейчас, привело меня почти в состояние шока.

На полу рядом со штейхцойгом блестела... лужа крови. Как громом пораженная, я стояла перед «итальянским образцом» и смотрела на эту кровь, словно перенесясь на столетия назад. Наверное, именно так все и происходило. Предсмертные хрипы; агония, стоны умирающего, закованного в сталь, истекающего кровью рыцаря...

С не меньшим ужасом я смотрела на окровавленный по самую рукоять клинок брошенного рядом на полу кинжала. Это был «кинжал милосердия». У него узкий граненый клинок, предназначенный для проникновения в щели «сплошного готического доспеха». Такой кинжал называется «мизерикордия».

При всей неуязвимости штейхцойга в некоторых точках стальной скорлупы мизерикордия все же может проникнуть внутрь. Чтобы нанести последний мгновенный удар. Существует одиннадцать таких мест, «смертных» в буквальном смысле слова. Считалось, что удар таким кинжалом избавляет смертельно раненного рыцаря от предсмертных мук. Впрочем, о душе тогда думали больше, чем о теле: даже если не было ран, оставлять в живых побежденного, а значит, опозоренного рыцаря считалось не милосердным.

Именно так погиб рыцарь Вальтер Олденбург, призрак которого, по преданиям, тоже время от времени беспокоит посетителей замка. И вот он словно явился, чтобы умереть еще раз, здесь и сейчас, передо мной.

Между тем лужа не исчезала... А ведь так полагается, когда речь идет о призраках!

Наконец я пришла в себя и начала немного соображать. Неужели опять шутки «привидений замка Тальборг»? Краска или клюквенный сок? Но актеры, нанятые Элжбетой, чтобы создавать в замке для привлечения туристов звуковой фон и ауру старины, заняты сейчас на представлении.

Наклонившись, я нерешительно прикоснулась кончиком пальца к клинку мизерикордии. Кажется, это была настоящая кровь. Мысль о том, что внутри стальной скорлупы не призрак, а истекающий кровью живой человек, заставила меня содрогнуться.

Наконец я все-таки отвела глаза от клинка в бледно розовых перламутровых разводах. Он просто гипнотизировал меня своими влажными стальными отблесками! И наткнулась взглядом на... туфлю. Черную туфлю с бархатным бантом. Она валялась рядом.

Именно такие туфли носила пани кассир.

После весьма непродолжительных поисков я обнаружила ее... внутри стальной скорлупы. Бедная пани кассир... Она была мертва.

Наверное, она не мучилась. Удар, нанесенный таким кинжалом, недаром называется «ударом милосердия». Одиннадцать смертных мест... От удара в одну из таких точек — между ключицей и шеей — и погибла пани кассир.

Очевидно, она пришла в этот зал, чтобы проследить за мной. Она спряталась в итальянских доспехах для пешего боя, таких, казалось бы, неуязвимых, с такой высокой, говоря современным языком, «степенью защиты». Но ее все равно закололи кинжалом!

Мизерикордия...

Я ничем не могла ей помочь. Нажав на кнопку сигнала тревоги и не дожидаясь полиции, я бежала из зала доспехов и из замка, позабыв о тайнике. Концерт в замке еще не закончился,

* * *

С утра пораньше я была снова в замке. Весть о кончине пани кассира уже облетела сотрудников. В замке были полицейские.

И конечно, не было ничего удивительного в том, что все пытались расспросить полицейских. Но они ничего толком не объясняли и были — или делали вид, — страшно заняты.

Нам с Элжбетой удалось приблизиться к пану начальнику полиции, когда он уже покидал замок.

Пан Усы был хмур и не слишком приветлив.

— Как это вообще стало возможным? — первой, на правах его старой знакомой, начала Элжбета.

— Полагаю, это был несчастный случай, — хмуро ответил начальник полиции. — Она взяла кинжал с музейного стенда.

— Зачем?

— От страха! В зале доспехов и при свете дня не по себе, а уж ночью. Всякое могло померещиться!

— Но что она делала поздно вечером в замке?

— В ее мертвой руке, милые пани, зажат клочок записки. Оборванный листок бумаги! Очевидно, он вырван из записной книжки. «Там, где нет огня» — вот что мне удалось прочесть на этом листке. Причем слова написаны почерком самой пани кассира.

— Но что это значит? — «удивленно» спросила я.

— Что сказать! В городке все просто помешаны на кладах и тайниках. Чего стоит одна только легенда о сокровищах Тени! Она не дает спать многим. Вот и пани не спала в ту ночь. А кинжал она взяла для защиты. Очевидно, ей что-то почудилось. Увы, в замке оружие всегда под рукой! Однако что взять с неловкой пожилой дамы? Очевидно, она споткнулась, упала, наткнулась на острый клинок. Это ведь вам, пани, не столовый ножик! Мизерикордия — опасное холодное оружие, его не рекомендуется брать в руки кому попало.

— Мизерикордия? — снова «удивилась» я.

Пан Усы хмуро кивнул:

— У нее рана между шеей и ключицей.

— Удар милосердия! — вздохнула я.

— Вряд ли это так назовешь!

— Мизерикордия — это кинжал, с помощью которого наносят последний мгновенный удар, — пояснила я. — В рыцарских доспехах есть одиннадцать точек, куда может проникнуть клинок этого кинжала.

— Вы весьма осведомлены!

— Во всяком случае, я так слышала.

— Это он! — вдруг прошептала Элжбета.

— Кто? — Пан Усы удивленно задвигал рыжими бровями.

— Тень!

— Не понял?

— Понимаете, одиннадцать точек... Кто мог знать, где эти уязвимые места? Тот, кто убил ее, умел владеть клинком и знал, куда наносить удар.

— И кто же это, дорогая моя?

— Тень... Он тоже ищет свой клад!

— Весьма оригинальная версия.

— Он заподозрил, что пани кассир его конкурент.

— Пани Элжбета, это уже слишком!

— Он — хранитель. И не надо притворяться — все в замке это отлично знают. Нет смысла замалчивать, что он появляется время от времени в замке.

— Время от времени... это когда?

— Раз в несколько столетий.

— Ну, ни в какие ворота не лезет!

— Да, да! Он зол на сотрудников замка. И опасен для тех, кто попадается ему на пути. Раз она искала клад... Я чувствую, он появился!

— Даже если вы правы, пани, — начальник полиции вздохнул, — и если Тень действительно ищет клад на территории замка, я не могу помешать призраку заниматься чем бы то ни было. В конце концов, это его дело. Сами говорите, клад принадлежит ему. — Пан Усы устало вздохнул. — Дитрих ищет клад, пьяные казнокрады хулиганят, веселые поварихи щекочут туристов... Я в курсе, милые пани, что, кроме кладов, у нас все еще немного помешаны на призраках. Особенно вы, Элжбета, — укоризненно произнес полицейский.

— Значит, вы не собираетесь ничего предпринимать?

— Я этого не сказал.

— Он заколол ее кинжалом! Возможно, мы все в опасности.

— Если бы я не знал вас много лет, пани Элжбета, — пан Усы ткнул колючим взглядом в менеджера по кадрам, — я бы решил, что вы пытаетесь увести следствие на ложный путь.

— Вы меня подозреваете? — испуганно встрепенулась Элжбета.

— Увы, это моя обязанность. Больше вы ничего не хотите мне сказать?

— Нет...

— А вы? — Пан Усы повернулся ко мне.

Я лишь покачала головой.

Увы, я не могу рассказать пану полицейскому о тайнике Бернстейнов.

— Тогда всего наилучшего, пани! У меня много дел. — Он повернулся, собираясь уходить.

Мне показалось или нет, что бравый пан Усы, прощаясь со мной, старательно прячет под рыжими бровями глаза хитрого лиса.

— Но как пани кассир решилась на такое? — спохватившись, вдогонку спросила я. — Прийти ночью в зал доспехов?

— Все знают, что она обожала детективы, — бросил уже на ходу, удаляясь, начальник полиции.

Теперь я знаю, от каких книжек почти не отрывалась пани кассир. Она читала детективы.

У любителя детективов особенное чутье. Он настораживается уже со второй строчки. И вот, как и полагается хорошему читателю детективов, пани кассир была настороже и тут же вычислила ход моих рассуждений. Представление и концерт в замке — редкая возможность остаться одной в его залах и, пока все увлечены музыкой, найти тайник. Место она знала, наверняка следила за моими поисками и передвижениями по замку и вслед за мной вычислила зал доспехов. Естественно, она не поверила моим уверениям, что я сообщу о своей находке в полицию. Она заранее расположилась в зале доспехов... Разумеется, только настоящий любитель и знаток детективных приключений мог изобрести столь изощренный ход: спрятаться, надев на себя доспехи! И вот что из этого получилось...

Бедняжка... Детективная игра — опасная вещь: трудно удержаться и не переступить ту грань, где заканчивается собственно игра и начинается жизнь. Пани кассир — бедный дилетант детективных расследований! — не смогла удержаться и переступила эту границу.

А пан полицейский уперся и считает, что произошел несчастный случай. В общем, хорошо, что я у него вне подозрений. Правда, он был что-то чересчур, я бы сказала — подозрительно откровенен с нами.

И у меня вот какой вопрос: кто, в самом деле, в такой тихой гавани, как наш городок может знать где располагаются на человеческом теле эти самые «смертные» точки? Разве что старый доктор Барток.

Глава 8

Элжбета нас покинула!

Уехала для участия в конференции очевидцев паранормальных явлений. Это сногсшибательное мероприятие проходит в соседнем замке Элборг.

Моя работка в башне мне надоела.

Я разочарована в Тальборге. Я тоже хочу уехать. И так потеряно много времени.

И вот судьба, кажется, решила мне помочь... Тайник Марии! Возможно, это деньги. Что, если я найду сокровища ордена? А ведь мне нужны средства для разбега перед новым этапом жизни. В любом случае я не могу уехать, так и не узнав, что же там спрятано.

Между тем поиск тайника оказался делом непростым.

Либо тут какой-то фокус, загадка, либо я ошиблась и S — это вовсе не Самсон. Гобелен ведь за столько лет могли и перевесить с одной стены на другую.

Погибла пани кассир, но ее смерть, как это ни трагично, не помешает мне продолжить поиски. Следует заново обдумать все как следует.

И вот я опять ломаю голову над словами, которые обнаружила на обратной стороне картины.

Если «S» это не «Самсон», то, что значит эта буква? А заодно и цифры? И как теперь искать клад?

А тот, кто в поисках тайника рыскал в доме Мари, тот, кто убил пани кассиршу... Ведь это один и тот же человек! Он и убрал любительницу, очевидно, рассчитывая, что уже находится у цели, чтобы пани не помешала. И просчитался вместе со мной — под заслонкой воздуховода ничего не оказалось. Очевидно, он следит за мной. Но он (или она?) тоже пока не знает, где клад.

И все-таки я снова по очереди обошла все помещения Дома Конвента. Пока не остановилась наконец в дверях большой зимней трапезной.

Этот зал с колоннами, надо думать, одно из самых красивых помещений замка. Колонны сделаны из разного гранита. Его привозили специально из Силезии.

Я остановилась в дверях трапезной. Стояла, задумавшись... пока мне не пришло в голову сосчитать колонны. Их было семь!

А свод дормитория поддерживают три. В зале с галереей для музыкантов тоже только три.

В этом же зале, бывшем прусском военном складе, — семь колон.

Склад... По-немецки — Speicher. Так написано во всех путеводителях... S...

Конечно же, Speicher, а вовсе никакой не Samson! Самсон тут ни при чем. Склад...

Семь и шесть... Надо полагать, шестая из них?

Я отсчитала шестую колонну, начиная от входа, и остановилась возле нее.

Увидела я там вот что... Слева было окно. А справа... «Там, где нет огня»! Камин! Нет, самого камина не было. Осталось обрамление. Нишу заложили мраморной плитой.

Я поняла, что ошибалась. Зал доспехов был ни при чем. Тайник, кажется, здесь.

Я подошла и постучала по мраморной плите.

Ответила мне приятная пустота.

* * *

Итак, я, кажется, поняла, где находится тайник.

Но концертов и представлений в замке более не намечается — сезон закончился. Единственная возможность осмотреть тайник — остаться на ночь в замке. После недавнего убийства?!

Кто бы ни убил пани кассира (Тень, как считает наивная — или, напротив, отнюдь не наивная — Элжбета, или тот, кто ищет в доме Марии тайник), мне, если я решусь на этот рискованный шаг, не позавидуешь. Он теперь не спустит с меня глаз.

В общем, провести ночь в замке — сущее безумие. Тем более одной! Не есть ли это тот самый рискованный шаг, от которого так предостерегала меня бедная пани кассир?

Как бы там ни было, в одну из ближайших ночей я намерена найти клад Марии Бернстейн.

Размышляя обо всем этом, я стояла на лестнице, освещенной знаменитым витражным окном мастера Гасельбергера, и вдруг...

— Приятная встреча!

Я вздрогнула от неожиданности, услышав знакомый голос.

— Жан... Я рада!

— Правда? Мне так не показалось.

— Ну, что вы!

Противореча собственным словам, я торопилась поскорее уйти. Но он меня остановил.

— Знаете, Эмма... По-моему, нам пора поставить все точки над i!

— Вот как? Разве мы договаривались ставить какие-то точки?

Жан нахмурился.

И тут меня осенило! А что, если...

— Ну, хорошо, — я улыбнулась. — Если вы и правда хотите ясности...

— То?

— Видите ли, Жан, существует предание... Говорят, клятва влюбленных — в ночь на первое ноября, в замке! — скрепляет их сердца навеки. Сегодня, обратите внимание, тридцать первое октября.

— Влюбленных, Эмма? — Ле Мур смотрел на меня, мало сказать, что изумленно. — Вы хотите сказать, что сегодня вы...

— Назначаю вам свидание! — Я обреченно кивнула. (Что можно сказать о девушке, которая сама назначает свидание? Впрочем, меня извиняет вполне эгоистический расчет!)

— В замке? — недоверчиво повторил он. — Ночью?

Я утвердительно кивнула.

— Сегодня? — Он смотрел мне прямо в глаза, и я поняла, что он не верит.

Нет, я не смогла сказать ему правду...

Лишь на мгновение представила так уже хорошо знакомый мне льдистый гневный огонь в его глазах, когда он станет меня отчитывать: «Эмма, неужели?! Вы втягиваете меня в нечистоплотную игру... Извините, нет! При всем моем особом отношении к вам...» Нечего и думать: Ле Мур отвергнет мое предложение. Зануда, помешанный на исторической славе ордена!

— Жан... Я пошутила! — Бросив эту фразу, я заторопилась вниз по лестнице, освещенной шедевром цветного остекления — витражным окном мастера Гасельбергера.

Нет, Жан для моего плана не подойдет... Циничный в вопросах морали «акула бизнеса», готовый на все ради наживы пан Ян Красовский, вот кто мне нужен! Уж если кого и «брать на дело»... Короче, роль «подельника» милому другу Яну вполне к лицу.

Как называются девушки, которые назначают свидания дважды в течение одного часа и притом разным мужчинам? Впрочем, мне было уже не до нюансов.

Я легко нашла Красовского в кафе «Валторна» и решила не тянуть.

— Существует предание... — бодро начала я.

— Опять предание? — Янек безо всякого энтузиазма оторвался от пива.

— Ты слышал, конечно, про клятву влюбленных в полночь в замке?

— Ну и?

— Скрепляет навеки!

— Эмма, сердце у меня, конечно, забилось. Но как мы попадем туда?

Одно из несомненных достоинств этого человека, конечно, в том, что он понимает все с полуслова.

— Ты придешь заранее. Я останусь после работы...

— А потом? — Он усмехнулся.

— Мы встретимся, когда ворота закроются, в Верхнем замке...

Я вдохновенно развивала перед ним свой план и, мне казалось, была убедительна. Однако по выражению лица Яна Красовского этого нельзя было сказать.

— Зачем? — кратко поинтересовался он наконец.

— Что — зачем?

— Зачем я тебе понадобился?

— Клятва! Я ведь уже сказала...

— Ерунда. Я могу объясниться тебе в любви, если уж тебе так приспичило, в любом из шестнадцати своих отелей. Выбирай!

— Это неромантично!

— Не ври.

— Ну, хорошо, — согласилась я. — Мы должны найти тайник!

— Час от часу не легче...

— Это может быть опасно.

— Не понял?

— Тень... Хранитель клада!

— Ах да, забыл... Ты ведь веришь в привидения!

— Он появляется время от времени в замке. Он ищет свой клад и опасен для тех, кто попадается ему на пути.

— Для конкурентов вроде тебя?

Я скромно кивнула.

— У него что же, монопольное право на поиски кладов?

— По-видимому!

— Ну, что ж... — Красовский на секунду задумался. — А зачем тебе все это, Эмма?

— Деньги! У меня ведь нет отелей...

— Понятно, — он отхлебнул пива.

— Так что?

— Пятьдесят на пятьдесят.

— Разбой!

— Как хочешь.

— Хорошо.

— Договорились?

— По рукам!

— Пятьдесят на пятьдесят, — напомнил он, задержав мою руку. — Встречаемся сегодня ночью. Заодно и поклянемся друг другу в вечной любви.

— При таких процентах? Дудки!

— Надеюсь, ты ничего никому нѐ сказала?

— Нет... — солгала я.

Я не стала посвящать Яна в свой разговор с Ле Муром. К тому же я действительно ничего Жану так и не сказала.

На самом деле я не верю ни тому, ни другому. Но... не оставаться же мне в замке на ночь одной!

* * *

Итак, мы договорились встретиться с Красовским после закрытия музея.

Я задержусь в своей башне. А он придет перед закрытием, принесет коробку пива новому сторожу. Пока тот будет пировать в офисе администрации в Нижнем замке, Ян ускользнет.

Встретиться с ним мы договорились в полночь, когда совсем стемнеет. У колодца. «Под пеликаном».

А мне надо будет затаиться на время — переждать до полной темноты, пока новый сторож не обойдет с дежурным обходом все помещения замка, а потом, накачавшись пивом от Янека и закрывшись в своей каморке, не заснет до утра.

Отсидеться я, естественно, планировала в своей башне. У меня там заранее был припасен полный термос кофе.

Но до начала «операции» следует предпринять некоторые меры безопасности.

* * *

— Скажите, если со мной что-то случится... — не слишком решительно обратилась я к пану Усы.

— Случится?

— Ну, если вдруг что-то... непредвиденное... Например, ночью...

— О чем это вы?

— Просто хочу узнать, вы приедете?

— Это обязанность полиции — выручать граждан. Если они обращаются за помощью, пани, мы приезжаем, — терпеливо объяснил мне пан Усы.

— Понятно.

— Что-то еще?

— А как быстро вы выручаете этих граждан? Ну, которые обращаются за помощью...

— Вас интересует время?

— Да, сколько вам нужно, чтобы прибыть на место?

— Мне лично ничего не нужно. — Пан Усы одарил меня своим проницательным полицейским взором. Голубым, из-под рыжих бровей. Можно сказать, заглянул не в глаза, а прямо в душу. — Но если нужно вам...

— Нет, конечно! Но допустим... Что тогда?

— Мы работаем очень оперативно, пани. Специальные тренировки и учебные выезды показывают, что мы прибываем на место очень быстро. Соответствуем мировым стандартам.

— Сколько? — отбросив предосторожности и уже не робея, поинтересовалась я.

— Через пятнадцать минут, даже если в самый дальний конец Тальборга.

— И в замок? — уточнила я.

— Разумеется!

Что касается других мер безопасности, то... Я повесила на пояс мешочек с черными бобами. В общем, если что...

* * *

Честно говоря, я не очень рассчитывала, что мне удастся взять этот ключ...

Но Ядвига была, как всегда, очень занята макияжем. И, возможно, именно это требующее огромной сосредоточенности занятие не позволило ей проявить необходимую для ключницы бдительность.

Делая вид, что я хочу оставить на столе, как обычно, ключ от башни, я взяла еще и тот, другой...

Надо сказать, он был старомодно велик. Нынче такими двери не запирают.

— До завтра! — бодро попрощалась я.

— Да уж постарайся, дорогуша... — В голосе пани мне послышалась скрытая издевка. Как будто эта накрашенная стерва видела меня насквозь.

«Ждите! — с легким вздохом облегчения подумала я про себя. — Завтра, очень может быть, я буду уже далеко отсюда. Мой «Фольксваген Гольф», плюс хорошие европейские дороги... все это делает путешествие приятным и... быстрым! И какое же, однако, будет счастье никогда больше не слышать этих вульгарных обращений: «дорогуша», «милочка»!

Ощущая в сжатой ладони тяжесть старинного ключа — что придавало мне, не скрою, некоторую дополнительную уверенность, — я сделала шаг в сторону двери. Но в это время тонкий шнурок, на котором у меня возле пояса висел амулет, зацепился за резной столбик, украшающий спинку чиппендейловского стула. Этот стул неуклюже стоял как раз у меня на пути — мебель в кабинете директора тяжелая, резная...

В общем, шнурок натянулся и оборвался. Черный мешочек с бобами упал на пол. И бобы раскатились по полу. Крупные, с глянцевым черным блеском, они легли вокруг пани Ядвиги, образуя полукруг. Странным образом — довольно симметрично! Даже постаравшись, я не смогла бы разложить их столь ровно.

А пани Ядвигу при этом как будто дернуло разрядом электрошока!

Лицо ее исказила гримаса. Зеркало выпало из ее рук.

Я бросилась поднять зеркальце, лежавшее на полу, изнанкой вверх. Вот странность... его овал был пуст. Это был всего лишь окаем, самого зеркального стекла не было!

Я подняла голову.

О, ужас... Пудра, толстым слоем лежавшая на щеках пани жены директора, отслаивалась и чешуйками опадала с ее щек. С губ облезла яркая помада. Ползли вниз нарисованные брови. Текла тушь с «густых девичьих ресниц». Вся монументально нарисованная макияжная оболочка опадала, сползала с лица пани Ядвиги... как прошлогодняя кожа с гадюки!

Ощущение, что крыша у меня едет, было столь полным...

Прав был все-таки Жан, когда говорил про мою не слишком устойчивую психику («Меня волнует ваше состояние, Эмма, вы слишком взвинченны, нервны!»). Или правы все-таки свихнувшийся сторож и Элжбета?

Я не стала дожидаться, чтобы проверить, кто скрывался под личиной пани жены директора. Мне действительно надо было торопиться.

Глава 9

Замок уже опустел. Туристы и последние засидевшиеся на работе сотрудники музея покинули его. Еще немного, и ворота закроют. Красовский уже, наверное, явился — с пивом! Я выждала еще некоторое время...

Пора!

Я стала спускаться из башни...

И уже почти сошла по лестнице вниз, когда в тишине опустевшего темного замка раздался странный грохот. Как будто упало что-то страшно тяжелое и с большой высоты... Какая-то махина!

От неожиданности я вздрогнула: что бы это могло значить? Что за звук? Грохот, однако, больше не повторялся. И, не придумав объяснения его происхождению, я продолжила свой путь.

Наконец я добралась до «пеликана». Присела у колодца, со дна которого поднималась сырая прохлада, и стала ждать, вслушиваясь в тишину ночного замка.

Однако у «пеликана» я прождала напрасно.

Красовский не пришел.

Я позвонила. Его телефон не отвечал.

Что ж... Подобный вариант я предполагала!

Женское счастье, оно такое — то густо, то пусто. Хотела пригласить обоих «своих» мужчин, а в итоге — ни одного.

Впрочем, это не повод срывать затею. И некогда переживать. Разве ж я не знаю: как болтать, говорить красивые слова, — их много. А когда нужна помощь — все они куда-то исчезают...

Я шла к большой зимней трапезной, слушая только собственные шаги.

Путь мой, кстати говоря, опять лежал мимо могильной часовни и старой лиственницы. Мне, как обычно, надо было пройти через кладбище.

Ночь оказалась неожиданно теплой. Словно невпопад поздней осенью наступило еще одно бабье лето. В траве кладбища звенели кузнечики, и воздух был пронизан ароматом трав. Да, прямо-таки каким-то южным был воздух.

К моему удивлению, дверь усыпальницы была открыта. Может быть, мне и не надо было туда заглядывать. Но я это сделала.

Могильная плита... Тридцать первое октября. Ночь Всех Святых. Если Тень и правда появляется в замке, то сегодня самое время.

Нет, плита не была сдвинута с места, я не увидела приоткрытой черноты склепа. Фу, неужели я и в самом деле боялась увидеть что-нибудь в таком роде?

Усмехаясь, я проследовала дальше. Чего мне бояться? Я лишь возьму то, что лежит в тайнике, и вернусь обратно в башню. Дождусь утра. Раз днем это сделать невозможно, сделаю ночью, только и всего.

Можно сказать, мои самоувещевания почти на меня подействовали.

В высокие двери зимней трапезной я вошла, уже вполне освоившись в обстановке глубокой ночи.

Я продвигалась вперед, в правый дальний угол зала.

И вдруг...

Сначала я увидела ее начищенные туфли. С детства помню этот блеск и запах обувного крема. И щеточку, которая без устали скользит по сияющей коричневой коже туфель, туда-сюда, туда-сюда...

В общем, сначала я увидела эти туфли. Потому что смотрела вниз, себе под ноги, освещая фонарем пол. Смиряя сердцебиение, я перевела взгляд и луч фонаря выше...

Она сидела возле камина, словно сторожила свой клад.

Я видела вполне ясно ее кудряшки со следами бигуди, ее кофту в горошек, ее неподвижную освещенную лучом фигуру. Это было так страшно, что в тот миг, когда она шевельнулась — словно собираясь повернуть голову! — я бросилась вон из зала. Да с такой скоростью, что, казалось, сердце выскочит из груди!

Я бежала сломя голову... А темнота ночи оживала звуками. Они были похожи на звон монет, падаю-

щих, как будто пьяная рука зачерпывала их из сунду-
ка и рассыпала по полу, на железное лязганье забрала, на призрачный безумный смех... Ночь наполня-
лась этими звуками. А окружающая меня темнота
была такой теплой, влажной и липкой, словно кто-
то пытался прикоснуться ко мне.

Я бежала сломя голову, и, возможно, сердце и
правда выскочило бы у меня из груди. Тридцать первое октября! Ночь Всех Святых? Нет, Праздник
мертвых! Я бежала по темным лестница Верхнего
замка, по его бесконечным галереям...

И тут зазвонил мой мобильник.

Это достижение прогресса не слишком вписыва-
лось в обстановку Ночи Всех Святых. Но он засве-
тился и запиликал как ни в чем не бывало. И это
привело меня в чувство.

— Алло! — Я замедлила шаг, пытаясь выровнять
дыхание. Неужели наконец Янек?

Звонил пан Усы! Собственной персоной...

— Где вы? — раздался его бодрый, несмотря на
поздний час, отнюдь не сонный голос.

— Д-дома... — солгала я.

— Вот как? А мне показалось...

— Нет, нет! Вы меня разбудили!

— Извините. И правда поздновато. Но я решил
убедиться, что с вами все в порядке — вы задавали
такие странные вопросы! И кроме того, мне кажется,
что именно сейчас вам будет небезынтересно узнать
некоторую информацию...

— О чем это вы?

— Тут рядом со мной мой коллега, полицейский
инспектор пан Глебов. Он вернулся наконец из Парижа.

— Из Парижа? Но зачем он туда уезжал?

— По моему заданию. Так вот только что вернувшийся пан Глебов рассказывает мне сейчас весьма интересные вещи, которые ему удалось выяснить, пани Эмма... Впрочем, не будем пока об этом.

— Вот как?

— Помните, вы хотели узнать у меня: кто мог бы пролить свет на обстоятельства смерти Летиции Блажек?

— Было такое...

— Так вот! Как я вам уже говорил, уголовное дело тогда решили не заводить — достаточных оснований для этого не было. Никаких намеков, ни тем более доказательств того, что девушку могли довести до самоубийства или тем более убить.

— И что же?

— Однако, как вы и предполагали, пан Глебов все-таки побеседовал тогда с некоторыми фигурантами несостоявшегося уголовного дела. С теми, кто мог, по его мнению, пролить свет на обстоятельства гибели Летиции Блажек. Никаких протоколов, только личные записи... Ведь это была его частная инициатива.

— И что же?

— К сожалению, ничего толком выяснить ему тогда не удалось. В частности, он не смог расспросить сестренку Летиции Блажек. Это было непросто: девочка была в глубоком шоке от гибели старшей сестры. Она ни с кем не разговаривала...

— И что же?

— Но теперь ситуация изменилась. Лечение принесло результаты.

— Вот как?

— Она даже может быть свидетелем... Главным свидетелем по делу о гибели Летиции Блажек!

— Что?

— Оказывается, сестренка Летиции видела в тот вечер, накануне несчастного случая, их вместе...

— Кого?

— Девушку и этого господина. Хорошо известного вам господина...

— Мне? Но кого же вы имеете в виду?

— Повторяю, девочка видела их тогда вместе — свою сестру и...

Пан полицейский не успел договорить. Вернее сказать, я не успела расслышать его слова. Наш телефонный разговор прервали какие-то странные помехи.

Я пыталась снова набрать номер пана Усы, но вместо гудка слышала только какие-то шорохи, похожие на шепот, и странные звуки, напоминающие скрип старых дверей или древних ступеней, ведущих в никуда. Ночь Всех Святых? И я прибавила шагу. Чтобы попасть в Нижний замок, мне оставалось только пройти по широкому дубовому мосту, который соединяет Нижний замок с Верхним.

Ворота, ведущие на мост, как обычно, были открыты. Решетка поднята. Я подняла голову. Барельеф над воротами изображает гарцующего на коне тевтонского рыцаря, и сейчас... Возможно, это была игра взбудораженного воображения, но мне показалось, что копье тевтонца нацелено прямо на меня. И когда я проходила под массивным железным ребром поднятой решетки, легкий холодок предчувствия вдруг пробежал у меня между лопаток. Мне показалось: я слышу подозрительный скрип.

Впервые я осознала, что романтический замок, от которого туристы в таком восторге, суть серьезное фортификационное сооружение, предназначенное для ведения боевых действий. Искусное, сложное... Галереи, бойницы и прочие архитектурные красоты, которыми я любовалась, имеют главным и первым назначением — бой.

Теперь, пройдя под решеткой и шагнув на мост, я могла оценить, что испытывали те, кто, прорвавшись сквозь первые ворота второй линии обороны, оказывался на этом перекинутом через ров мосту. Что они испытывали, когда решетки на воротах опускались с внезапным грохотом, преграждая путь вперед и назад. Смельчаки оказывались в ловушке, запертые на коротком отрезке моста с двух сторон!

Бежать отсюда некуда. Внизу под мостом глубокий ров. И пусть в нем никогда не было воды — она и не нужна, для обороны достаточно его глубины. А с каждой из каменных галереек, выступающих над стеной и с отверстием в полу, может обрушиться на голову поток кипятка. Или того хуже: котел горячей каши. Или град стрел. А из каждой узкой бойницы внимательно и неотрывно могут следить стрелки, чьи пальцы лежат на спуске арбалета или на тетиве лука...

Сделав несколько шагов по мосту, я обернулась...

И в этот момент цепи, на которых была укреплена решетка, действительно лязгнули!

Ясно было, что добежать по мосту до ворот Нижнего замка я уже не успею. Единственный вариант — вернуться. Причем, если я хочу выйти отсюда живой, мне надо поторапливаться. На размышление — мгновение.

Спринтом я никогда не занималась. Однако, к счастью, пока еще остаюсь в неплохой спортивной форме. Не знаю, сколько времени требовалось на преодоление этого расстояния осаждающим тевтонский замок в прежние времена, но я просвистела треклятый дубовый мост в доли, как мне показалось, секунды. Наверное, это был мировой рекорд, который, увы, так и остался неизвестен человечеству.

Решетка на воротах с грохотом упала за моей спиной.

Когда эхо от грохота стихло, я растерянно оглянулась. Путь назад, в Нижний замок, был преграждён.

Я осталась — бесповоротно? — запертой в Верхнем замке.

Биться лбом в опустившуюся железную решетку было бессмысленно. Пробить ее не удавалось даже таранам литовских князей, осаждавшим когда-то эти стены. Я была заперта в Верхнем замке, как в ловушке.

* * *

Что все это означало? «Не одну сотню лет никому не приходило в голову закрывать или открывать решетки на воротах...» — вспомнила я слова Элжбеты. Она еще тогда добавила: «Не уверена, что кто-нибудь вообще в замке сейчас знает, как это делается».

Однако мой противник, кажется, прекрасно ориентируется в возможностях оборонительных сооружений замка... Мой противник?

«Он появляется время от времени в замке, он ищет свой клад и опасен для тех, кто попадается ему на пути». Неужели... Тень? Предостережение безвременно усопшей пани кассира уже не казалось мне смешным.

Сама мысль о том, что придется провести здесь остаток ночи, наполняла меня ужасом.

И я заторопилась в «свою» башню. Закроюсь там на все замки! У меня там есть термос... дождусь утра!

Так я и сделала: вернулась в Studierzimmer, закрыла все запоры на двери. Налила в чашку кофе...

Сначала я увидела, как по полу промелькнуло что-то белесое, гладкое и продолговатое, похожее на очень большую крысу. Это была собака с острой вытянутой мордой и черным ухом. Как она сюда попала? А потом...

А потом я увидела его. Он появился, как всегда, непонятно откуда, неслышно и неожиданно... Как тот, из легенды... «колдун, умевший попадать в дома, не проходя ни в двери, ни в окна».

— Поистине ночь сюрпризов... — пробормотала я.

В самом деле, я пригласила обоих. Согласился один, а пришел другой!

— Что вы здесь делаете? — удивилась я.

— А вы?

— Я первая спросила, — с запальчивостью воспитанницы детского сада возразила я.

Он остановил меня движением поднятой руки.

— Что вы, Эмма, — медленно произнес он, — делаете здесь в такую ночь?

— Но...

— В эту ночь, единственную в году, когда сходятся вместе свет и тьма...

— Правда?

— В ночь, в которую соединяются два мира...

— Неужели?

— Знаете ли вы, как ее еще называют?

— Не представляю.

— Праздник мертвых! И в эту ночь вы пришли сюда...

— Извините, дела!

— Клад, вы хотите сказать? — В нордических глазах блеснул и снова погас уже знакомый мне льдистый серебряный огонь гнева. — Что ж... Тем не менее я рад вас видеть! — Он обвел комнатку долгим взором. — Studierzimmer... Помните, я упоминал старую историю, Эмма? Здешние простолюдины всегда боялись этой башни. Реторты, тигли, огонь свечей далеко за полночь. Когда в округе пропадали юные девушки и красивые юноши, они думали: колдун из замка готовит свое зелье, продляющее жизнь. Не скрою, сэр Роджер действительно подарил миру несколько весьма ценных мыслей. Но всегда надо идти вперед, дальше и дальше...

— Не понимаю, о чем вы?

— Не понимаете?

Он молча смотрел мне в глаза своим странно долгим взглядом, так поразившим меня еще при первой встрече. Как всегда, это более всего походило на небольшое кровопускание: я каждый раз словно теряла частичку себя, глядя в его льдисто-серые очи.

— Неужели вам ничего не говорит фамилия Ле Мур? — наконец произнес он.

Я покачала головой.

— Впрочем, меня с самого начала поражала ваша наивность. — Он тяжко вздохнул: — Помните, как мы встретились? Трудно в это поверить, но я обрадовался, увидев вас. В вас было что-то очень трогательное, одинокое... Мне захотелось тогда вам помочь! Видите ли, по ночам, когда люди покидают замок, он наполняется звуками. Деревья, двери, ступени лестниц... здесь все кругом начинает издавать звуки. Вернее — они становятся слышны. Вы знаете, Эмма, как ужасно, как уныло и протяжно скрипит поздней осенью огромная золотистая лиственница возле часовни?

— Только догадываюсь, Жан.

— А те, другие? У них у всех есть голоса, и я один среди них. Днем людской шум, шум живых, заглушает звуки замка. Но когда день кончается, одни голоса сменяются другими. День и ночь полны разных звуков. И когда солнце садится, они становятся слышны — те, кого заглушал день. Не все люди, правда, могут их, услышать. Вы их слышите, Эмма?

Я кратко кивнула.

— Что ж... С первого мгновения понял, что мы чем-то похожи!

— Но...

Он протянул мне руку:

— Вы останетесь со мной?

— Остаться с вами? — Я испуганно отодвинулась. — До утра?

Он покачал головой:

— Навсегда...

— Вы имеете в виду... э-э...

— Вечность, конечно.

— У меня никогда не было столь длительных отношений... Жан, это слишком серьезное предложение для такой легкомысленной женщины, как я!

Ох, этот его неотрывный гипнотический взгляд!

Я отступила назад. А он сделал шаг вперед. И в его руке что-то — или мне показалось — блеснуло. Мизерикордия?

— Не надо бояться... — странным голосом произнес он.

— Вы сумасшедший? — с некоторым запозданием наконец осенило меня.

Его красивое лицо вдруг побледнело до синевы, скулы заострились. А глаза потемнели и ввалились, став похожими на черные провалы. Я с ужасом смотрела на эти перемены.... Кажется, пан полицейский упоминал о том, что в глазах мертвой Летиции застыл страх?

Запавшие глазницы, холод... А тишину комнаты нарушил довольно неприятный звук, похожий на сухое пощелкивание скелета.

— Не подходите!

Но он продвигался ко мне.

— Зачем бежать? Вы одиноки, несчастны, слабы. Эмма... Вы упустили свою юность, тот короткий мимолетный час удачи, когда еще можно поймать жалкое человеческое счастье. Что вас ждет, Эмма? Одиночество, старение, скука?

— Замолчите! — почти в отчаянии крикнула я. Не надо ни ножа, ни кинжала — то, что он говорил, было хуже.

— Не бегите, Эмма... Вам некуда бежать!

Я еще отступила назад. Позади меня снова было только окно...

Каждая моя встреча с ним, каждый его взгляд раз за разом отнимали у меня силу жизни. И вот наступил финал: я чувствовала себя слабой, покорной, безвольной, у меня не было сил сопротивляться его воле, его голосу, его взгляду.

Я потеряла свою волшебную силу жизни, свою обычную уверенность, напор. Как будто внутри и правда погас огонь. Кто-то украл его у меня.

Я оглянулась назад. Окно откроется легко. Словно по маслу, с немецкой точностью, скользнет шпингалет в пазах...

Что, если голова у меня опять закружится, как в прошлый раз, когда я испугалась несчастного Тадеуша?

Я встала на подоконник. Внизу — горы желто-бурых осенних листьев. Сделать шаг вниз... И упасть, смешаться с мертвой листвой. Это и легче, и проще, и слаще. Сдаваться всегда легче, чем жить. А я, наверное, устала от жизни, у меня нет для нее сил. Кто бы он ни был, он угадал. Почему он не столкнет меня?

Потому что уверен — я упаду сама. Не знаю, как погибла Летиция. Но если силу жизни можно отнять, то, наверное, именно так, как сейчас умру я.

— Вы в точности как она... — услышала я за спиной его тяжкий вздох и оглянулась. — Тоже хотите бежать!

Неожиданно он сделал шаг в сторону, отступил, скользнув, в своем сером плаще, как тень...

— Уходите!

Это были последние слова, которые я от него услышала.

* * *

К счастью, у меня еще был ключ, которым можно открыть маленькую железную дверь в крепостной стене!

Тогда, в день нашего знакомства, мы с Ле Муром по винтовой лестнице сторожевой башенки спустились в сухой ров, который опоясывает стену Верхнего замка, и, пройдя по нему, вышли к мельнице. Я обратила тогда внимание на остатки огромного мельничного колеса, мимо которого мы проходили.

Сейчас других вариантов у меня просто не было. Как хорошо, что я предусмотрительно запаслась этим ключом!

Повторив пройденный уже однажды путь, я действительно обнаружила не слишком приметные с первого взгляда ступени, прятавшиеся в зарослях плюща. И — делать нечего! — опять стала спускаться по ним вниз.

Мне казалось, я хорошо запомнила это место. Низкий каменный свод... Пригнув голову, я стала пробираться вперед. По воспоминаниям, тот путь под землей был совсем недолгим. Кажется, мы дважды поворачивали. Первый поворот я прошла. По моим расчетам, впереди уже должна была быть железная дверь.

Я протянула вперед руку... И рука нащупала камень кладки.

Фонарь освещал выложенные полукругом камни свода. Может быть, здесь и была когда-то дверь, может быть! Но теперь... Вместо нее передо мной была каменная стена. «Служебный ход» завел меня в тупик.

Значит, я ошиблась и не там повернула? Придется возвращаться. И я медленно двинулась в обратном направлении, стараясь не пропустить нужный поворот.

Я шла и шла, но поворота все не было. А низкий

каменный коридор, по которому я шла, казался бесконечным. Еще несколько шагов, и я опять уткнулась в стену. Каменный мешок!

Очевидно, я заблудилась. Где дверь, через которую я попала в подземный ход? Никакой двери не было.

Единственное, о чем я мечтала теперь, это вновь оказаться наверху, выйти из подземелья. Увы, раз за разом, вновь и вновь я проходила подземный коридор, так похожий на каменный мешок, и вновь и вновь, снова и снова утыкалась в неровную кладку стены.

Это было похоже на мышеловку.

Тайный ход оказался мышеловкой! Луч фонаря метался по каменным стенам, но выхода я не видела.

Открытие было не из приятных: кажется, я была заживо замурована, погребена под толщей тальборгских стен! Что-то липкое, похожее на паутину, коснулось моего лица...

И тут я вспомнила про телефон. Рассчитывать на то, что сигнал пробьет толщу каменной кладки, конечно, не приходилось, но мобильник был теперь последней надеждой на спасение. И что, собственно, еще я могла предпринять?

Замирая, набрала спасительный номер. (Я звонила пану полицейскому, хотя, по сути, это означало явку с повинной. Увы... само слово «явка» в каменном мешке, где я находилась, звучало как издевательство!)

Это было чудо — телефон соединил меня с паном Усы.

— Так где же вы, пани? — раздался в трубке бодрый, несмотря на уже предрассветный час, совсем не сонный голос пана начальника полиции. — Дома вас нет! Я проверил.

— Я... я не дома!

— Отлично: вы уже начинаете говорить правду!

— Вы, наверное, удивитесь, но я в замке и...

— Я знаю, — коротко прервал меня пан Усы. — Я знаю, что вы в замке.

— Знаете?

— Да! Но где именно вы находитесь?

— В том-то все и дело... Я как бы не совсем понимаю, где именно я нахожусь!

— Интересно... Обычно в таких случаях у нас в полиции спрашивают: много ли пани выпила?

— Ничего я не пила! И тем не менее повторяю: я в замке, но не знаю, где именно я сейчас нахожусь.

— Что ж, кое-что все-таки известно, — вздохнул Усы. — Вы в замке! А позвольте узнать, по какой причине вы оказались ночью на территории музея?

— Это сложно объяснить...

— Уж постарайтесь!

— Это долго...

— А я не тороплюсь.

— Мне, в общем, тоже некуда торопиться, — вперив взор в неприступную кладку каменных стен, уныло заметила я. — Видите ли, мое чистосердечное признание уже написано...

— Вот как? Вы хорошо подготовились. Не часто встречаются такие предусмотрительные нарушители закона.

— Дело в том, что я веду дневник, пан начальник полиции. Он находится у меня дома. И если вы отправите кого-нибудь ко мне домой, вам не придется тратить время на допрос. Вы все прочтете в моем дневнике.

— Интересно... Непременно это сделаю.

— Но сейчас выслушайте меня!

И, путаясь и волнуясь, я начала объяснять, насколько это вообще возможно было, в какой дикой ситуации я оказалась.

Конечно, я предполагала, что пан полицейский сочтет меня сумасшедшей. Но он как будто не слишком удивился.

— Значит, вы заблудились в подземелье? — как ни в чем не бывало поинтересовался он.

— Да! — уже почти истерически подтвердила я. — На самом деле это служебный ход. Но я в нем запуталась. Понимаете, я в замке и... — собралась объяснять я все по новой, опасаясь, что он чего-то не понял.

— Берегите батарейку, пани, — перебил меня пан начальник полиции. — Не тратьте ее понапрасну на разговоры с приятелями. А я вам скоро позвоню.

В трубке раздались гудки.

Я с облегчением перевела дух. Спасена!

* * *

Звонок раздался через двадцать минут.

То, что сообщил мне пан полицейский, было поистине невероятно. Толща каменных стен словно опустилась мне на плечи.

— Я разбудил и опросил всех сотрудников музея, имеющих отношение к планам замка, — сказал пан Усы. — Никакого тайного хода из замка нет!

— Смешно... — голос мой дрогнул. — Я ведь уже однажды выходила по нему из замка! И потом, ключ...

— И, разумеется, нет никаких ключей ни от какой тайной двери.

— Смешно! — уже чуть не плача, повторила я. — Как это нет? А что у меня в кармане?

Я полезла в карман куртки. Ужас... Ключа не было! Очевидно, я обронила его, пока металась по этому жуткому подземелью.

— Видите ли, пани... Сотрудники замка говорят: есть только легенда о тайном ходе из замка.

— Легенда?

— Но все попытки найти этот ход всегда заканчивались неудачей.

— Неудачей? Но маленькая железная дверь в стене...

— Ее заложили камнем еще два века назад!

— Что?!

— Не теряйте присутствия духа, — произнес пан Усы.

— Да я уже его потеряла...

— Послушайте, пани, я организую поиски, в замке уже находятся полицейские. Вас обязательно найдут...

— Когда?!

— Не волнуйтесь...

Пан полицейский продолжал успокаивать меня фальшивым ровным голосом, каким психологи беседуют с родственниками усопших. А я вдруг вспомнила ухмылку Ядвиги. Как она ухмылялась, когда я брала этот ключ! А пустое зеркало... А то, что происходило с ней, с ее лицом... Это было поистине невероятно!

Я вспомнила слова Элжбеты: «Lares familiares — так называют добрых духов...»

— А как называют злых? — прервала я словесный поток пана Усы, продолжавшего меня успокаивать.

— Что?

— Понимаете, души некоторых людей после смерти блуждают по земле, смущая покой ее обитателей. Добрых духов называли Lares familiares... Вы случайно не в курсе, пан начальник, как называли злых?

— Lemures, пани!

Я только жалко пискнула.

— Так еще называют обезьян, живущих где-то в Африке... — пояснил пан начальник. — Они так своеобразно выглядят, что местные жители издавна считали их духами своих предков. А вообще лемуры — это и есть духи умерших, и должен вас предупредить, что лемур...

Пан полицейский не успел договорить. Батарейка села, связь оборвалась.

Лемуры...

Все стало на свои места. Все, что говорил Тадеуш, вспомнилось мне теперь в мельчайших подробностях. Безумный Тадеуш был прав. Неопровержимым доказательством иррационального вывода, к которому я теперь безоговорочно пришла, были окружавшие меня каменные многометровые стены. Какие еще доказательства нужны заживо замурованному?

Я находилась в подземелье, выход из которого был заложен камнем еще два века назад. Кто еще может знать о нем?

«Мертвые среди живых, пани... — бормотал тогда Тадеуш. — Лемуры прячутся среди живых. Они натягивают приличествующую случаю личину, но там, под нею, тьма. Черное и холодное ничто. Не дай вам бог туда заглянуть!»

Что еще мне говорили? Ах да, Элжбета: «Не стоит, чтобы он на вас глядел. Не глядите в его глаза слишком долго». Почему я не отнеслась серьезно к этим предостережениям Элжбеты! Она все ведь тогда объяснила: «Он забирает все без остатка. Всю, дотла, энергию жизни, всю ее силу. Жизненную силу! Как будто уносит огонь и тепло, которое делает человека живым. Она нужна ему самому!»

Легенда оказалась правдой.

Летиция... Он забрал у нее vita. Бедная девочка...

Но ее призрак не давал ему покоя.

И снова слова Тадеуша, долетавшие до меня когда-то сквозь туман полуобморока, вдруг ясно и четко всплыли сейчас в моей памяти: «Лемур не может воспользоваться пентограммами и заклятиями «Ключа Соломона». Это может сделать только живой человек, — сказал мне тогда Тадеуш. — И это сделали вы! Он использовал вас как оружие против вашего же ангела-хранителя. Он уничтожил ее вашими руками!»

Жан... Лукавейший интриган, устраивавший несколько интриг зараз...

Почему я решила, что Тень — это дряхлый старик? Как же я ошибалась! Тень — красивый высокий человек в сером плаще с усталыми глазами, отнимающими жизнь. Иногда они вспыхивают льдистым гневным огнем...

Это невероятно... Но все объясняет. Даже то, что он ни разу не попытался меня поцеловать. Члены тевтонского братства давали обет целомудрия. И не имели права поцеловать даже сестру, даже мать.

Лукавейший интриган, умевший устраивать несколько интриг зараз, и колдун, умевший попадать в дома, не проходя ни в двери, ни в окна.

Это он убил Тадеуша, потому что угрюмый сторож проводил много времени на кладбище и знал тайну Жана Ле Мура. И конечно, собирался выяснить, как он это делает. Недаром же угрюмый сторож сказал мне: «Я выведу его на чистую воду! Ваш инфернальный дружок, кажется, научился переходить грань, отделяющую мир теней от мира живых людей».

А бедная пани кассир? Ее привела в зал рыцарских доспехов чистая, можно сказать, почти святая любовь к детективным загадкам. Но он решил, что она хочет завладеть его кладом. Вот почему он убил ее. Именно в такой руке мизерикордия не дрогнет. Уж он-то знает, где они, эти одиннадцать смертных мест.

Если так, то все понятно...

Он ведь так и сказал про себя, при нашей первой встрече в замке, что он — Никто.

Я-то тогда имела виду, что я безработная. А он сказал: забавное совпадение. И так странно усмехнулся. Лемур!

Даже не скрывал ничего. Просто я не понимала.

Конечно, ведь врать ниже его достоинства. Надменен, храбр... И это великолепное тевтонское презренье! Ум, коварство...

Не живой, не мертвый... Никто!

* * *

Я металась как сумасшедшая. Стучала кулаками в каменные стены, бросалась вправо и влево. Но запутывалась в каменном лабиринте все больше и больше. И каждый раз, куда бы я ни шла, оказывалась в тупике. Это сумасшедшее метание привело к тому, что я окончательно потеряла ориентиры и уже совершенно не понимала, откуда пришла и куда направлялась.

Наконец я успокоилась. Нет, конечно, безвыходных ситуаций не бывает. Но есть каменные стены, в которые бесполезно — и больно! — стучаться лбом. Лбом стенку не прошибешь...

Сделав это «открытие», я успокоилась. К тому же окончательно выбилась из сил.

Скорчившись и привалившись спиной к ледяной каменной стене, я опустила голову на колени.

Вряд ли меня найдут. Ну, может, если только нечто истлевшее.

Хорошо бы заснуть и так, во сне, незаметно присоединиться к теплой компании здешних призраков... Ведь не все же они тут Lemures, есть и Lares familiares...

Какой-то шорох и трепет помешали мне осуществить это намерение. Я подняла голову и включила фонарь.

Это было неожиданно. И красиво! Мотылек с пепельно-бархатными, нежно поблескивающими пыльцой крыльями кружил в луче света. Неподалеку от меня.

Откуда он взялся?

Погодная аномалия. Теплая ночь с кузнечиками... Так бывает иногда поздней осенью. Обманутые теплом, набухают почки и просыпаются бабочки. Видно, и теперь случилось то же. Но это значило, что не все потеряно. Вот что это значило!

Мотылек то отлетал куда-то вдаль, то снова возвращался.

Когда он в очередной раз вернулся, легкий ступор, в котором я пребывала, созерцая его кружение, завершился. Ведь мотыльки не живут в подземельях — им нужна зеленая трава. Значит, где-то близко... Во всяком случае, эти каменные стены не так уж и непроницаемы!

Я поняла, что происходит: мотылек указывает путь!

Выход наверх, конечно же, существует. И скорее всего, он где-то совсем рядом. Недаром работал мобильный! Он-то не счел место, в котором я находилась, недоступным.

Я вскочила и заторопилась вслед за бархатно трепещущими крылышками.

Еще несколько шагов, и я почувствовала ток свежего воздуха.

Летиция, Летиция... призрачная, как мотылек... отважный и воздушный призрак! Ты подсказала мне путь. Ты не погибла...

Ангелы не нуждаются в словах: достаточно подумать об ангеле, и он рядом. Такова Летиция... Ее дух, ее музыка, она сама появлялась всякий раз после того, как я слишком долго смотрела в глаза лемура. Она хотела меня предостеречь. Спасти! Помогла и на этот раз.

Летиция... Я думаю, что она наивно и отважно пыталась отпугнуть врага от дома, в котором я поселилась.

Так некоторые хозяева оставляют дома включенный телевизор, чтобы грабители подумали, что в доме кто-то есть, и ушли.

Призракам знакомы человеческие чувства — у Летиции тоже есть сестра.

Ее прислала Элла... Чтобы помочь мне, я знаю.

Глава 10

Когда я вышла из подземелья, в замке все было по-другому, чем вчера. Рассветало, и наверху царило оживление. Издалека, от ворот, доносились сирены полицейских машин, голоса. Я отряхнула с себя «пыль веков» и паутину и пошла сдаваться. Первое ноября. Утро.

Я шла не торопясь. Сдача с повинной — это такая процедура, что торопиться как-то, в общем, не хочется.

Я уже представляла себе физиономию пана начальника полиции. Все-таки я оправдала его «надежды»: «Эти молодые мошенницы, которые...»

Одно утешало меня и делало предстоящий арест не столь уж неизбежным.

Я ведь ничего не украла. Я не похитительница! Правда, я не стала ею просто чудом. Непреклонные кудряшки пани Мари Бернстейн и были тем самым чудом.

Можно верить в духов, можно нет. Но именно призрак Мари помешал мне стать воровкой. Она не хотела, чтобы я сделала это. Иначе для чего бы она оказалась там!

Некоторое соображение заставило меня замедлить шаг. Сдаваться ведь лучше не с пустыми руками! Но, подумав, я все же не решилась сделать крюк, чтобы заглянуть в большую зимнюю трапезную. К тому же впереди уже виднелись полицейские мундиры.

«Отведите меня к нему!» — что я еще могла им сказать?

И меня отвели. Но не к пану Усы.

— Посадите ее тут где-нибудь... пока! — распорядился сержант. — Можно с тем, другим...

— Есть еще задержанные? — насторожилась я.

— Хм... Не вы одна плутали в замке в эту ночь!

— И много нас таких?

— Что?

— Много у вас еще задержанных?

— Хватает...

— Правда?

— Если честно, то, кроме вас, еще только один, пани.

— А кто?

— Без комментариев!

И двое полицейских, ухмыляясь, повели меня, как арестанта, прочь. В обязанности сержантов ведь вовсе не входит утолять любознательность арестантов.

В каморке, заставленной старой мебелью и метелками, куда меня поместили, было полутемно. И я не сразу разглядела, что она уже не пустует. В глубине у окна стоял человек. Очевидно, тот самый «еще один задержанный».

Я сделала шаг вперед, человек у окна повернулся.

— Ты? — растерянно пробормотала я.

Это был не кто иной, как Ян Красовский.

— Вид у тебя неважный, — заметил «акула бизнеса», когда дверь за сержантом захлопнулась. — Сразу видно, что ночь провела не в собственной постели!

— Может, оставим интимные подробности моей жизни? — предложила я.

— Оставим, — покладисто согласился Красовский и вздохнул: — И то сказать, кто я такой, чтобы вопросы задавать?! Так, мимо проходил. Вот она, женская благодарность: как дурак, бежишь темной ночью на помощь, а вместо спасибо...

— Ты все-таки пришел в замок? — я недоверчиво смотрела на «акулу»: никогда не угадаешь, шутит он или нет.

— А ты о чем подумала, увидев меня сейчас?

— Но я ждала возле «пеликана»! Где ж ты так задержался?

— Догадайся с трех раз.

— Опять!

— Если б не решетка...

— Что?

Я озадаченно смотрела на Яна.

Теперь мне стало понятно происхождение грохота, так поразившего меня накануне. Ведь ловушек, подобных той, в которуя чуть не угодила я — мост, с двух сторон запертый воротами, — в замке две! Первая ловушка — площадка между парадными воротами, ведущими в Нижний замок.

Нет, «акула бизнеса» не покинул женщину «в сложной ситуации». Оказывается, я была к нему несправедлива, когда подозревала в предательстве. Ян Красовский пришел в замок, как мы и договаривались. Но «подставить крепкое мужское плечо» в момент, когда о том его просила женщина, «акуле бизнеса» помешала неожиданно обрушившаяся решетка. Его захлопнуло! Он оказался на мосту, как в мышеловке. Извлек его оттуда, оказывается, уже под утро пан Усы.

— А телефон твой почему не отвечал? — все еще недоверчиво уточнила я.

— Потерял! Когда пытался выбраться...

Итак, теперь я поняла, почему не пришел Ян. Ле

Мур запер его в ловушке перед первыми воротами, а сам...

— Это он! — пробормотала я. — Кто еще может знать, как опускаются эти чертовы решетки на воротах!

— Он — это кто?

— Тень!

— Ты опять?

— Он вернулся в Тальборг... — упрямо повторила я. — Красивый высокий человек с усталыми глазами.

— Это ты о своем, похожем на скелет, дружке? — как мне показалось, несколько ревниво уточнил «акула бизнеса».

Я грустно кивнула.

— Знаешь, если бы не полицейские, я бы под утро просто окоченел в той ловушке на мосту.

— Ладно, не мелочись! Я вообще чуть не погибла.

— Да, вид у тебя не очень. Как будто из чулана достали! Разреши? — Красовский осторожно стряхнул с моих волос клочок паутины. И задержал руку на моем плече.

— Его глаза отнимают жизнь, — вздохнула я.

— Неужели?

— Понимаешь, ему необходимо получить жизнь молодой девушки...

— Тебе-то что волноваться? — ухмыльнулся Красовский.

— Как что? Речь идет о моей смерти, а ты... — Я с внезапным подозрением уставилась на «акулу бизнеса». — Куда это ты клонишь? По-твоему, я уже недостаточно юна, чтобы служить источником витальности?

— Ну, в общем, Эмма...

— Что-о?

— А ты чего хотела? Чтобы все думали, что тебе еще нельзя покупать пиво в нашем супермаркете?

— Ну, знаешь! Мог бы и соврать... из вежливости.

— Видишь ли, дорогая, что касается меня, то моя цель — хорошо провести время в ближайшие лет тридцать. А дальше можно закрывать лавочку. Лично я не собираюсь жить тысячу лет. Мне и ста многовато. Так что в качестве источника «витальности» ты меня не интересуешь: я ведь не вылезаю по ночам из-под могильной плиты, как некоторые. Но это не значит, что ты меня не интересуешь в других аспектах. — Он замолчал.

— Можно подробнее? — заинтересовалась я.

— Я вот про что: ты действительно хочешь уехать из Тальборга?

— Не знаю, — вздохнула я. — Иногда совсем нет!

— Иногда — это когда?

— Ну, например, сейчас. — И я снова вздохнула, чувствуя его руку на своем плече.

— Правда?

— Честно сказать, мне совсем не хочется покидать дом Мари.

— Ну, и не покидай... если неохота.

— А как же твои отели?

— Оставлю тебе твой дом... Я хочу сказать, необязательно превращать дом Мари в отель.

— Но я ужасная соседка... Впрочем, ты не лучше!

— Необязательно быть соседями.

— То есть?

— Есть и другие варианты.

— Как это?

— Обрушим стенку. Получится нормальная квартирка.

— Ты серьезно?

— На таком уровне бизнеса, как у меня, мужчины уже не шутят. Некогда! — И он посмотрел на часы. Потом набрал номер на мобильнике и скомандовал: — Сержант, пора выпускать арестованных!

Я задумалась.

— Так что насчет обрушения стены? — спросил «акула».

— Нет, — подумав, ответила я.

— Нет?

— Я хочу сказать, не сейчас.

— ?

— Ведь сначала я должна отмотать срок. Не уверена, что ты меня дождешься.

— Постараюсь! К тому же, я надеюсь, тебе немного скостят наказание, учитывая твое чистосердечное признание и добровольную явку с повинной.

Дверь с грохотом, как и полагается в арестантской камере, отворилась.

На пороге стоял полицейский.

— Все на выход! Пани — на допрос к начальнику полиции. А пан свободен.

— Я буду ждать, — произнес мне вслед Красовский.

И я растроганно оглянулась в надежде на продолжение фразы: в его обещании не хватало слова «вечно».

— До десяти, — уточнил он. — В одиннадцать у меня деловая встреча.

Чего еще можно было ожидать от «акулы бизнеса»?

* * *

Между тем меня отвели в кабинет директора, где по-хозяйски разместился пан Усы. Он, как из штаба, командовал оттуда по рации полицейской суматохой, которая царила в замке.

— Итак, пани... — произнес он, увидев меня. Надо заметить, что слово «итак» в устах полицейского очень похоже на стук по крышке гроба. — Такая симпатичная и молодая, и уже попытка ограбления музея...

— А у вас разве никогда так не бывало? — вздохнула я, поняв, что дневник, который я сама добровольно выдала в руки полиции, уже прочитан.

— Это как?

— Ну, вы идете по жизни своей дорогой. Идете, идете...

— Короче.

— Ну, вы идете, идете... И все ясно, понятно, законопослушно. И вдруг наползает туман — это как наваждение! — и ты начинаешь в нем плутать, плутать... Разве у вас никогда так не бывало?

Пыхая трубкой, пан начальник полиции молчал, не выказывая ни малейшего желания признаваться, попадал ли он когда-нибудь в туман.

— Вот даже пани Мари Бернстейн... — несколько сникнув, продолжала я.

— Что?

— Даже такой человек, как она...

— Не понял?

— Ведь это ее тайник!

— Вы полагаете, пани Бернстейн скрывала в тайнике, о котором вы пишете в своем дневнике, присвоенные ею музейные ценности?

— Ну, не то чтобы скрывала, — испугалась я этих слов. Меньше всего мне хотелось обвинять в полиции — даже ради собственного оправдания! — подругу моей матери. — То есть, я хочу сказать, не то чтобы скрывала или присвоила, но... Тогда зачем тайник?! — совсем запутавшись, вопросила я.

Пан Усы не ответил и на этот мой вопрос.

Он барабанил пальцами по столу и задумчиво меня рассматривал.

— Что ж, пани, все это очень трогательно, — наконец произнес он. — Туман, наваждение... Однако перейдем к делу!

— То есть?

— Будем признаваться или как?

— Будем, — выбрала я.

— Тогда где ценности?

Я вздохнула:

— Готова указать вам местонахождение.

— Тогда вперед!

И пан начальник полиции открыл передо мной дверь.

* * *

Зал большой зимней трапезной был пуст. Никакого призрака Мари Бернстейн в нем не было. Но и того, что я стремилась найти, по всей видимости, не было уже тоже.

Мраморные плитки фальшивой стенки были отбиты, и на меня смотрел черный зев камина. Тайник был пуст. На его пыльном полу остался след — четкий прямоугольный отпечаток. Очевидно было, что еще недавно здесь покоился небольшой по размеру, но, надо полагать, довольно увесистый и тяжелый сундучок.

— Честное слово, я ничего не брала... — пролепетала я.

— Я должен вам поверить?

— А как же иначе?

— Сами видите, пусто!

Я пожала плечами:

— Верьте — не верьте, но я даже не знаю, что в этом тайнике находилось.

— И вы хотите, — усмехнулся пан Усы, — чтобы я допустил, будто такая умная пани идет ночью сама не зная куда и ищет сама не зная что?

Я вытянула перед собой руки.

— Что это с вами? — осведомился пан Усы.

— Заковывайте!

— Да погодите вы! Это я всегда успею.

— Не сомневаюсь.

— Так вы действительно не знаете, что находилось в тайнике?

— Зачем повторяться? — Я гордо распрямила плечи. — Разве вы не убеждены, что я все равно солгу?

Вместо ответа на этот вопрос мой мучитель сказал:

— Разрешите, я закурю?

И он не торопясь достал из кармана небольшой, розового дерева, ящичек, а из него — курительную трубку.

Надо сказать, выглядела она несколько фривольно. В руках полицейского особенно.

Янтарный чубук трубки оседлала янтарная нимфа. Причем легкомысленное нагое создание сидело верхом, неприлично раскинув ножки. Скабрезная вещица в духе забав чувственного восемнадцатого века, мне доводилось видеть подобное в музеях. И если бы пан полицейский действительно закурил эту трубку... Ну, в общем, это был такой грубый, чисто мужской юмор. Мастер, который сотворил эту непристойную янтарную безделушку, очевидно, обладал им в полной мере.

— Как вам вещица? — поинтересовался пан Усы. Он повертел трубку в руке, однако так и не закурил.

Я равнодушно пожала плечами. Мне было не до шуток.

— Не хотела бы, чтобы мой дедушка сидел с такой трубкой перед телевизором в окружении малолетних внуков. Вот все, что я могу сказать!

— Правда?

— Вне всяких сомнений!

— Надо полагать, Мари Бернстейн тоже так считала...

— Я не очень понимаю, о чем вы.

— Как вы вообще могли поверить, — строго уставился он на меня, — что уважаемая сотрудница музея, патриот Тальборгского замка, Мария Бернстейн могла присвоить себе музейные экспонаты?

— Нет?

— Нет!

— А что же?

— Ценности, хранящиеся в тайнике... словом, они принадлежали ей... В каком-то смысле.

— Интересно, в каком?

— Не все сразу, милая пани.

— Я сгораю от нетерпения.

— Ну, хорошо. Видели ли вы, пани, наш знаменитый многофигурный янтарный алтарь в главном зале музея?

— Допустим...

— Этот алтарь — гордость музейной коллекции. А создан он великим, поистине великим мастером. Залы нашего музея украшают и другие произведения этого искусного резчика по янтарю.

— Алтарь я видела, разумеется. Кстати, там нет таблички с именем автора.

— Видите ли, пани, к сожалению, в те времена не было традиции авторства: с янтарем работали безымянные резчики. К тому же настоящего художника не всегда признают таковым при жизни, некоторым слава достается только после смерти.

— Откуда же вы знаете, кто автор алтаря?

— Исследования ученых, искусствоведов иногда имеют успех. Принадлежностью анонимных произведений искусства в Тальборгском замке впервые стали заниматься еще в девятнадцатом веке, когда создавались первые музейные экспозиции и сокровища замка стали выставлять на обозрение для публики. И знаете, иногда удавалось установить — и даже бесспорно — авторство некоторых работ. Например, в найденных платежных документах того времени упоминается, что янтарный алтарь создан неким Яковом из Тальборга.

— Без фамилии?

— Слыхали вы, пани, выражение «говорящая фамилия»?

— Это когда фамилия что-то говорит? Сообщает что-то о ее обладателе?

— Да. Ну, например, Вульфы. Отчего-то же их предки получили такое прозвище, позже ставшее фамилией. Может быть, они походили своими повадками и характером на волка.

— И что же?

— А иногда фамилия сообщает что-то о роде занятий. Например, русская фамилия Кузнецов.

— И что дальше?

— У этого мастера была «говорящая фамилия».

— И?

— И как это часто бывало, именно фамилия увековечила профессиональную принадлежность мастера Якова из Тальборга.

— Что вы все-таки имеете в виду?

— Вам ничего не говорит фамилия Бернстейн?

— Что?

— Вижу, что ничего! Надо мне вам тогда заметить, что слово «янтарь» на немецком языке звучит как bernstein...

— Вот как...

— От него и произошла фамилия Бернстейн.

— Ну надо же...

— Да-да, резчик янтаря Яков из Тальборга был предком Мари Бернстейн. Именно это я и имел в виду, когда сказал, что ценности, хранящиеся в тайнике, в каком-то смысле принадлежали ей.

— Да, да, теперь я, кажется, понимаю...

— В тайнике, подсказку для нахождения которого вы случайно обнаружили в доме Мари, хранились янтарные произведения искусства, созданные ее предком, Яковом из Тальборга.

— Но зачем? Зачем Бернстейнам понадобился тайник?

— Понимаете... — Пан полицейский протянул мне скабрезную янтарную вещицу, украшенную нагой нимфой. — Ведь эта трубка тоже сделана великим мастером Бернстейном...

— Ну, знаете!

— Вы слышали когда-нибудь о тайнике русского царя с картинами знаменитого художника Карла Брюллова? Весьма... м-м... своеобразных!

— Н-нет...

— Видите ли, пани, эротика всегда была мощной движущей силой искусства. А наши предки и в отсутствие глянцевых фривольных журналов находили способы услаждать свой досуг. И даже академик Карл Брюллов писал не только благопристойные парадные портреты и страдания Помпеи, но и весьма, как выяснилось, фривольные сцены!

— И что же?

— А предок Мари, мастер Яков Бернстейн из Тальборга, вырезал не только шкатулки и благочестивые янтарные алтари, но и прельстительных нагих дам, оседлавших чубуки курительных трубок! В общем, создавал сюжеты, в которых чувственность той эпохи находила себе прибежище. Некоторые из них довольно бесстыдны... Что поделаешь! Наши прапрабабушки и прапрадедушки не были безгрешны. Разница только в том, что об их грехах история умалчивает, она эти грехи не запротоколировала, и они канули в Лету. А вот дедушка-художник Яков Бернстейн совсем другое дело! Вписался в историю навеки. Уж если рукописи не горят, то шедевры из янтаря, камня, которому миллионы лет, и подавно могут жить вечно.

— Янтарь, Бернстейн... — Я растерянно смотрела на янтарную нимфу.

— Для искусства не существует пристойного и непристойного, не так ли, пани? Заметьте, мастерство исполнения неподражаемо! И, надо полагать, мастер Яков Бернстейн, воистину великий по таланту и мастерству, — продолжал свой рассказ пан Усы, — создал немало подобных вещиц — фривольных безделушек, услаждавших досуг «настоящего мужчины». Созданные несколько столетий назад, эти «великие безделушки» попали в коллекцию Тальборгского замка. Но потом куда-то исчезли...

— Что?

— Сами знаете, пани, ни одна война не миновала наш замок. Разрушения, восстановления, снова разрушения, перестройки, реставрации. Настоящее возрождение замка началось в девятнадцатом веке и связано с именами великих реставраторов. Так вот... В реставрационных работах того времени принимала участие и Мария Бернстейн, прапрабабушка нашей Мари. Профессия реставратора в их роду потомственная...

— Я знаю.

— Можно предположить, какова была история возникновения тайника. Во времена трагедий и неразберихи, во времена военных действий музейные ценности обычно прячутся. Потом они возвращаются на свои места. Но не все. Некоторых вещи могут погибнуть, некоторые исчезнуть. Исчезли и «великие безделушки» мастера Якова Бернстейна. Погибли они или...

— Или?

— Я подозреваю, что их утаила Мария Бернстейн.

— Вы сами же не верили, что... Так неужели кто-то из Бернстейнов, другая Мари, могла утаить какие-то ценности? Нет, нет! Я верю в генетическое благородство.

— Все не так просто, пани. Конечно, и та Мария была честным и преданным музею человеком.

В этом нет никаких сомнений! Но тут вмешалось нечто, что не может преодолеть стыдливость женщины.

— Что же?

— Именно в то время в Тальборгском замке впервые стали заниматься определением авторства анонимных произведений искусства. Изучали старинные платежные ведомости, стиль, манеру работы, характерные особенности, присущие мастерам... И вот! Я думаю, когда авторство этого, — полицейский помахал в воздухе скабрезной янтарной вещицей, — было установлено... и выяснилось, что алтарь и бесстыдных наяд создавал один и тот же человек... В общем, я полагаю, щеки госпожи Бернстейн покрылись пятнами стыда за своего деда.

— Вы так полагаете?

— Именно она, я уверен, приняла тогда решение, что эти свидетельства его высочайшего — надо отдать должное! — мастерства должны быть скрыты от глаз досужей публики. Вы были правы, когда полагали, что Мари Бернстейн спрятала сокровища. Но они, разумеется, не были украдены, нет! Госпожа Бернстейн не взяла на себя грех такой нечистоплотности. Дедушкины шедевры всегда оставались в замке, но... были скрыты от посетителей. Стыдливость правнучек тому причина! Потом секрет тайника стал передаваться Бернстейнами из поколения в поколение...

Утреннее солнце било в окно, зажигая пламя на янтарном чубуке трубки. В нем словно окаменело другое, замурованное в камне, солнце. И от этого удвоенного солнечного света мне слепило глаза.

— На аукционе Сотбис такие вещицы стоят немалых денег... Я бы даже смело предположил, огромных денег! — заметил пан Усы.

Я машинально кивнула.

— И поскольку никого из потомков Якова Бернстейна больше не осталось — Мария была последней в своем роду, — было бы справедливо, если бы «великие безделушки» вернулись в музей. Как вы считаете?

— Двумя руками за. Полагаю, это будет именно справедливо!

— Ну, так...

— Я-то чем могу помочь?

— Вы ведь утверждали, что в замке, кроме вас, был кто-то еще?

Я кивнула.

— Если здесь был еще какой-то человек... если содержимое тайника изъяли не вы...

— Вам его не поймать, — вздохнула я.

— Почему же? Вряд ли кому-либо удалось сегодня ускользнуть из замка. Мы найдем!

— Это невозможно.

— Вот как?

— Нельзя заковать в наручники господина по имени Никто...

— О ком это вы?

Я пожала плечами.

— Весь внимание, пани!

Глава 11

— Видите ли, многоуважаемый пан начальник полиции... — начала я издалека. — Древние полагали, что души людей после смерти блуждают по земле, смущая покой ее обитателей. Добрых духов называли Lares familiares. Злых — Lemures. У римлян даже был обычай справлять в их честь трехдневные празднества. В эти дни закрывались храмы и не разрешались свадьбы.

— Можно все-таки покороче? — Пан начальник посмотрел на часы.

— Существовал также обычай сжигать черные бобы или бросать их на могилы усопших... — Я кивнула на открытую дверь усыпальницы, к которой мы как раз подошли. — Видели вы на могильной плите со стершейся надписью вот это? — я достала из кармана горсть черных бобов.

— Допустим.

— Разве вы никогда не говорили с паном Тадеушем о *нем*? Понимаете, у того, кто был сегодня ночью вместе со мной в замке, на самом деле мертвые, выцветшие от времени, глаза... Это лемур!

— Вот как?

— Ему необходимо получить чью-то жизнь, чтобы продлить свое пребывание среди живых. Понимаете? Желательно жизнь молодой девушки... — Я старательно разбросала бобы по могильной плите. — Сначала я тоже не могла понять, зачем Тадеуш бросал их в огонь в моей комнате, где я работала. Черные бобы! Недаром считается, что лемуры не выносят их дыма.

— Бедный Тадеуш! Мой несчастный друг... — Начальник полиции вздохнул. — Разумеется, следует учитывать, что трагическая гибель его юной возлюбленной наложила отпечаток на всю его жизнь: у него было особое отношение к смерти Летиции Блажек. И вот легенда о Тени, похищающей витальность юных красоток, и реальность, я полагаю, совместились в его несколько помраченном рассудке...

— Он полагал, что защищает башню от лемура, — встала я на защиту усопшего. — И знаете, ему это даже какое-то время удавалось!

Пан начальник полиции снова скептически вздохнул:

— Вполне объяснимо, пани, что человек, который проводит весь день и даже ночь среди древних могильных плит, воспринимает тени почти так же, как реальных существ. И потом эта его любовь к умершей женщине! Иногда мы бываем в плену у теней, у тех, кто нас покинул... Не так ли?

Я невольно кивнула.

— Я знаю о вашем горе — об исчезновении сестры, пани.

— Правда?

— Полагаю, все вышесказанное вполне можно отнести и к вам.

— Но...

— Если вы ненадолго оставите свою мистическую версию событий, то увидите, что все было совершенно по-другому.

— Что?!

— Нет, вы все-таки послушайте. Молодая женщина, переживающая серьезный жизненный кризис — это я о вас, Эмма! — приезжает в небольшой городок и словно попадает в зачарованный мир. Что ж, таково, по-видимому, влияние нашего замка!

Я снова невольно кивнула в знак согласия.

— И вот происходит ее странная встреча с незнакомцем... Человек, которого вы встретили, действительно необычен. Он действительно Никто. В каком-то смысле. Но не мистическом!

— Так это вы о... Ле Муре?

Пан полицейский утвердительно склонил голову:

— Если вам удобно, продолжайте и далее называть его так.

— Что?

— Видите ли, бедный наш Тадеуш и не догадывался, что вашего, так сказать, инфернального друга интересует совсем другое помещение, отнюдь не комнатка в Угловой башне...

— Другое? Вот как?

— А дом Мари Бернстейн!

— Да что вы?!

— Попробую прояснить некоторые подробности истории этого преступления.

— Преступления?

— Ну хорошо, будем пока называть то, что случилось, просто — эта история. Иногда название становится ясным, лишь когда добираешься до конца. Так вот... Главным действующим лицом этой истории (а также исполнителем преступления, замечу в скобках) является господин... Впрочем, и имя его пока называть не будем. Знаете ли вы, каким образом этот господин появился в Тальборге?

— Нет.

— Мари Бернстейн консультировалась с неким ученым, автором нескольких научных статей, посвященных анонимным резчикам янтаря. Его перу, например, принадлежит статья «Янтарные шедевры, проблемы авторства». Статья подписана именем Жана Собези. Я полагаю, Мари обратилась к нему как к признанному авторитету в этой области — в электронной почте я нашел их с Мари переписку. Возможно, к концу жизни она всерьез задумывалась о том, что пора извлечь на свет содержимое тайника своей прапрабабушки. И вот сотрудник международной организации, консультант Мари, приезжает в Тальборг. Он умен, красив, образован, молчалив и печален. Старомодно изящен, как будто сошел со старинной миниатюры... Пожилые женщины без ума от таких. Конечно, он тут же обаял пани Элжбету. А пани Ядвига была к нему, мало сказать, что неравнодушна. Все это позволяло ему, когда он появлялся, чувствовать себя в замке как дома.

— А Мари Бернстейн?

— Он всерьез подружился с нею. Она приветила талантливого ученого. Очевидно, разговор зашел о кладах (а это не могло не случиться в Тальборге!), и он узнал однажды о существовании тайника Бернстейнов. Скорее всего, Мари только намекнула на некую семейную тайну. Ее ошибкой было не объяснить, о чем идет речь, что именно является содержимым тайника! Тут надо помнить, что в нашем городке все просто помешаны на легендах о кладах и тайниках. Главная среди них — легенда о сокровищах Тени, о его алхимическом золоте. К тому же у вашего друга, должно быть, и до приезда в Тальборг были сведения о том, что клад якобы действительно существует.

— Мне тоже об этом говорили в замке.

— Вот, вот. А он решил, что в тайнике Мари именно золото. Он только не знал, где именно клад заложен. Предположил, разумеется, что если не сам тайник, то план, на котором отмечено его местонахождение, находится в доме Мари. И он начинает искать. Увы, его путь к кладу отмечен жертвами.

— Он имеет отношение к смерти Марии?

— Не думаю, что этот человек был заинтересован

в том, чтобы она унесла с собой в могилу тайну клада. Ведь его поиски оказались нелегкими.

— Но она умерла! Тяжелая форма аллергии, которой пани никогда прежде не страдала...

— Полагаю, это было невольное убийство.

— Что?

— Чай!

— Не может быть?

— Ему надо было, чтобы Мари «выключалась», крепко спала, для того чтобы он мог спокойно обследовать ее дом. И он использовал ее любовь к порядку. Люди со строгими правилами, надо заметить, легко уязвимы. Он подсыпал в ее банку с чаем другой. Щедрая природа дарит нам, увы, немало растений, обладающих психотропными свойствами — достаточно высушить некие зеленые листики, смешать их с обычным чаем...

— Надо быть при этом, однако, неслабым знатоком «колдовских» снадобий! — уточнила я.

— Это верно. Вашему другу в этом знании не откажешь... Увы, у бедной Мари оказалась жесточайшая аллергия на его зелье.

Я печально вздохнула.

— Но первой его жертвой в Тальборге стала не она.

— Летиция!

— Да. Скорее всего, юная музыкантша, соседка Мари Бернстейн, просто влюбилась в красивого ученого, посещавшего дом старой дамы.

— Зачем же он ее убил?

— Я ведь еще не сказал, что убил. Я сказал — она стала жертвой.

— Значит, это было самоубийство?

— Почему вы так решили?

— Ну, я хочу сказать, возможно... э-э... у нее были причины броситься с башни?

— Не понимаю.

— Несчастная любовь достаточная причина для самоубийства!

— Разве?

— Да, если речь идет о молодой девушке, воспитанной в строгом католическом окружении. Кстати, она была беременна?

— Экспертиза этого не установила. Впрочем я не могу говорить с абсолютной уверенностью о том, как все случилось. Возможно, вдруг она испугалась, что-то увидев, ведь в ее глазах застыл страх. Или причиной была неосторожность. Или... он помог ей упасть. Во всяком случае, известно, что — пани кассир была очень наблюдательна! — он назначил ей свидание. А может быть, она сама напросилась.

— Клятва?

— Влюбленные верят в любую чепуху, готовы прибегнуть к любым мерам и чарам. Могу сказать одно: девушка умерла прежде, чем упала на ворох осенних листьев.

— А все эти разговоры о похищении vita?

Пан Усы развел руками:

— Для меня это лишь своего рода аллегория. Девушка была влюблена в него, безответно влюблена. И он погубил ее. Здесь можно использовать этот старинный оборот. Ведь vita могут отнимать не только колдуны и бессмертные Тени. Злая воля одного человека вполне может перечеркнуть жизнь другого человека, может отнять силу, так необходимую для жизни. Всем нам в какой-то момент начинает казаться, что мы теряем ее. Как будто и правда гаснет наш внутренний огонь, как будто его кто-то крадет... Ведь так?

— Ну, можно сказать и так, — не смогла не согласиться я. — А что с моими «видениями»? Кого же я видела, если то была не Летиция? И эти звуки за стеной...

— Старый рояль, рассохшиеся струны...

— Но мелодия!

— Создана вашим воображением.

— Но я же видела ее!

— Вы видели игру света. Остальное довершила ваша фантазия и... чай!

— Чай? Опять?

— Подчиняясь порядку Мари, вы ведь тоже брали банки с надписью «tea»?

— Верно.

— Отсюда и ваши головокружения. То был мираж!

— Но почему мое видение было так похоже на Летицию Блажек? Я в жизни никогда ее не видела!

— Последовательность событий была другой. Сначала вы увидели в замке девочку в длинном платье, сестру Летиции, очень на нее похожую. Вы не обратили на нее внимания, однако ее облик остался у вас в подсознании. Затем вы пили «чай», весьма способствующий галлюцинациям, а уж потом увидели на крыльце «Летицию». Ваше воображение наградило мираж обликом девочки, игравшей в замке на флейте.

— Допустим... — Я вздохнула. — Но зачем он, по-вашему, сделал это?

— Что?

— Погубил ее!

— Скорее всего, она ему просто мешала. Ведь влюбленные девушки назойливы, их внимание всегда в предельной степени сконцентрировано на объекте любви. И это было для него, по меньшей мере, неудобно. Чужое внимание преступникам ни к чему! К тому же...

— Да?

— Сумасшедшим вообще кажется, что все им мешают. А воспринимают помехи они несколько иначе, чем психически здоровые люди.

— Сумасшедшим?

Пан Усы кивнул.

— Они бывают очень умны, изобретательны, остроумны! Еще прибавьте огромное тщеславие и, конечно, чарующий взгляд. Кстати, один из самых ловких преступников и одновременно сумасшедший Лоброзини (это, пани, пример из истории криминалистики!) просто зачаровывал окружающих своим взором и удивительными глазами.

Я растерянно слушала пана полицейского.

— Именно тогда впервые консультант Мари и попал в поле зрения полиции, — продолжал пан Усы. — После смерти Летиции Блажек! Но должных подозрений, увы, тогда не вызвал...

— Прокололись?

— Однако восстановим далее последовательность событий, — ушел от ответа пан полицейский.

— Вся внимание!

— Скорый приезд наследницы, поселившейся в доме Мари, оказался для ее консультанта неожиданностью. Теперь ему надо было, чтобы вы, Эмма, как можно больше времени проводили вне дома, чтобы иметь возможность продолжать обыскивать его. Угловая башня — идеальное место для того, чтобы вас надежно изолировать! Вот он и придумал вам эту работу. Подцепил на крючок сразу же после вашего приезда в Тальборг.

— Но я сама задержалась тогда в замке! Ну, в день нашего знакомства.

— На ловца и зверь бежит. Так это по-русски? Уверяю, если бы это не произошло в тот момент, он все равно нашел бы случай познакомиться с вами. Такому познакомиться, втереться в доверие, тем более к женщине, нехитрое дело.

— Неужели? — разочарованно пробормотала я.

— Между тем он продолжал осмотр дома. Пыль в доме...

— Да?

— Он всегда вытирал ее, чтобы не оставлять после своих поисков отпечатки пальцев.

— Я вообще-то подозревала что-то в таком роде.

— Но поиски затягивались. Вы ему мешали!

— Так что же, и меня...

— Нет, он не хотел вас убивать. Ведь это сделало бы дальнейшую судьбу дома непредсказуемой.

— Вот спасибо, обрадовали.

— И тут новое непредвиденное обстоятельство. Мало ему было вас, Эмма, так еще и Ян Красовский свалился на его голову со своим бизнес-проектом. Повадился на улицу Свентого Духа, как будто там медом намазано. Того гляди заполучит и наследницу дома Мари, и сам дом. Преступнику надо было торопиться. А то старые дома вот-вот начнут рушить — тайник Мари Бернстейн уничтожат, и все пропало.

— И?

— Он сумел вас с Янеком поссорить.

— Лукавейший интриган, умевший устраивать несколько интриг одновременно, — пробормотала я.

— Ну, можно и так сказать. В общем, вы вообразили, что у пана Красовского была связь с Летицией! Представить такое, конечно, нетрудно.

Я лишь вздохнула.

— Но все было совсем не так. После смерти Летиции младшую ее сестру забрала сестра священника, и опекуны продали их дом. Продали, конечно же, Яну. Кому же еще? Он единственный, кто проявляет интерес к недвижимости в Тальборге.

— А что случилось с пани Зборовской?

— Похоже — эта смерть действительно на совести консультанта. Подруга Мари знала о тайнике Бернстейнов, хотя ей не было известно, где он находится. Пани Зборовская знала, она была неболтлива, но наследнице, которой был завещан дом, она, скорее всего, сообщила бы о том, что тайник существует. И консультант постарался, чтобы ваша встреча с ней не состоялась. Он только не знал, что о существовании и содержании тайника она успела сообщить полиции.

— Вам?

Пан начальник полиции скромно и утвердительно кивнул.

— По-настоящему этот человек привлек мое внимание уже в связи со смертью пани Зборовской. Я составил список всех, кто с ней общался. Список небольшой, но консультант в него попал.

— И после гибели пани Зборовской я отправил коллегу Глебова в Париж — собирать материл на этого господина. Однако все усилия полицейского найти хоть какие-то зацепки в биографии Жана Собези были бесплодны. Она оказалась почти безупречна, хотя Глебов умеет копать.

— Значит, вы с самого начала знали о тайнике Мари, пан начальник... И хотели, чтобы клад нашелся? Вы решили сказать мне о поисках Ле Мура, лишь когда я была уже в замке! Не слишком ли поздно вы решили меня предупредить, как он опасен?

— Дело было не совсем так. Я действительно подозревал, что Собези замешан в убийствах, это правда. Но я не мог понять мотива. И отнюдь не связывал его действия с тайником Бернстейнов. Если допустить, что все нелепые смерти последнего времени, рассуждал я, действительно есть отравления и умышленные убийства, то... зачем это ему нужно? Такие тяжкие преступления! Их совершают, когда впереди какая-то очень заманчивая цель. Но что *ему* нужно в Тальборге? И я подумал: он охотится за казной ордена. Хотя... при чем тут старые дамы?

— И?

— Наконец я предположил, что, возможно, преступник просто ошибается: принимает тайник Мари (о нем я узнал, повторяю, после ее смерти от пани Зборовской) за казну ордена.

— Как же вы в конце концов связали странные смерти и дом Мари?

— Я рассуждал следующим образом, Тальборг — прозрачный городок, у нас ничего не происходит, кроме...

— Кроме?

— Кроме тех непонятных вещей, о которых рассказывали мне вы.

— А ведь не верили!

— Когда мы исследовали дверной замок в вашем доме и обнаружили царапины от отмычек... В общем, дело стало проясняться! Ну а когда вы активно взялись за поиски тайника... Я ведь глаз с вас не спускал! Однако окончательно я утвердился в своем мнении относительно консультанта, увы, только после смерти Тадеуша.

— Что?

— Пани кассир видела консультанта на кладбище вечером накануне трагедии. А сам Тадеуш успел сказать ей, что должен там кое с кем встретиться. Скорее всего, консультант сначала, боясь разоблачения, убил Тадеуша. А потом, чтобы замести следы, разыграл падение плиты.

— Боясь разоблачения?

— Бедный Тадеуш принимал его за Тень, обещал вывести на чистую воду и сказал вам, что у того «подозрительная фамилия». При этом он имел в виду, что Ле Мур — это лемур. Но когда вы передали его слова про «подозрительную фамилию» своему другу, тот решил, что Тадеуш раскрыл его тайну. Именно за это сторож и поплатился жизнью! Люди, которые присваивают себе чужие биографии, более всего боятся разоблачения.

— Вот как?

— Судя по всему, наш консультант отнюдь не Жан Собези.

— Не Собези? И не Ле Мур? Но кто же он?

— Продолжу рассказ... Биография Жана Собези, повторяю, оказалась безупречной. Подозревать его в смерти Летиции, Мари, Ванды, Тадеуша не было ни малейших оснований. Помог случай. Буквально на днях в лесу был обнаружен труп неизвестного мужчины. Я думаю, анализ ДНК не оставит сомнений: это и есть настоящий Жан Собези!

— Ох...

— Эксперты приблизительно датируют смерть этого человека как раз тем временем, когда в Тальборге и в нашем замке появился...

— Тот, кого вы называете консультантом?

— Да, и в чем вы, безусловно, правы, Эмма, так это в том, что человек, которого вы упорно считаете Тенью, действительно в определенном смысле Никто. Во всяком случае, он никакой не сотрудник Всемирной организации памятников. Но этот человек подменил настоящего Жана Собези, который по Интернету консультировал Мари Бернстейн.

— Кто же он тогда?

— Конечно, мы не можем пока ответить на этот вопрос с полной определенностью. У французской полиции есть версия. Есть показания свидетеля, который утверждает, что Жана Собези приблизительно в то же время, когда Мари вела с ним переписку, часто видели в обществе его бывшего одноклассника, некоего Клода Лавиньи. Весьма странного молодого человека! Его врач уже дал показания: мужчина страдает маниакально-депрессивным психозом, он слышит «голоса», на его счету попытка убийства. И пока его не могут нигде найти. Вполне возможно, что, убив друга под влиянием какой-то своей мании, он выдает себя за него. Опасный сумасшедший, вообразивший себя невесть кем — потомком крестоносца, блестящим ученым, Тенью гроссмейстера, наконец. Полагаю, он вошел в роль со всем пылом и талантом сумасшедшего, искренне поверив в свою фантазию.

Я молчала.

— Вы так не думаете, пани?

— Н-нет... То есть я думаю не совсем так.

— То есть?

— А что, если Жан Собези действительно так и не доехал до Тальборга...

— Соглашусь!

— Но это никакой не Клод Лавиньи.

— А кто?

— Советник великого магистра, француз из Берри, Тень... Вот кто! Не знаю, как его еще назвать. Ведь Тадеушу удалось восстановить на могильной плите лишь несколько букв из его имени: j... е... По-видимому, его звали именно Жан.

— Так, так...

— И вот он появился в замке, потому что...

— Да?

— Потому что похищенные жизни Жана Собези, а потом Летиции дали ему возможность находиться среди живых.

— Так, так... Запишем в протокол! Занятие — советник магистра, имя — Тень... Нет, простите, имя неизвестно! Прозвище — Тень. Воровская кличка! Увлечение — алхимия...

— Вам смешно?

— Согласен принять вашу версию опять-таки лишь как аллегорию. Убийце с мертвыми глазами чужая похищенная жизнь, то бишь биография, действительно дала возможность находиться среди людей.

— А другие лемуры?

— Это вы о ком?

— Пани Ядвига. Она ведь тоже никто.

— Не стал бы утверждать это так категорично. При всем уважении к вам... Видите ли, более всего я ценю в людях здравомыслие.

— Но иначе зачем столько штукатурки?

Я рассказала о том, что видела, — об осыпающейся пудре и прочем.

— Ну, вы слишком строги, Эмма! Не всякая женщина, которая уделяет столь много внимания макияжу, лемур. Я полагаю, пани Ядвига — сообщница этого господина. Она ему помогала.

— Она их всех знала! Казнокрады... поварихи... прочая нечисть... Одна компания!

— Пани разыгрывала вас. Да, это был розыгрыш! Отсюда и мистические запугивания. Не исключаю, конечно, что ей хотелось выжить вас из замка. Ревность! Красивый мужчина уделял вам много внимания — ведь «консультанту» надо было, чтобы вы как можно больше времени проводили вне дома. И вот она хотела заставить вас уехать. Что вовсе, однако, не совпадало с планами самого преступника. Хотя вы правы: есть кое-что странное...

— Правда?

— Я так и не смог пока найти каких бы то ни было сведений об этой пани. Никаких данных о том, кто она и откуда! Досье пусто, как ограбленная могила. Как будто она и правда возникла из ничего и ниоткуда. Не хочешь, да поверишь в ваши сказки. Но я все-таки — просто мне нужно время — докопаюсь!

— Но, пан начальник полиции...

— Что еще?

— Он такой... убедительный! — вздохнула я, не найдя других слов.

— Вполне возможно, что-то в нем есть, — не стал меня разубеждать пан Усы. — Когда мы раскопаем родословную Клода Лавиньи, тогда и узнаем... Может, и найдется какая-то далекая кровная связь. Возможно, он правда потомок крестоносца. Как знать... Или, во всяком случае, обнаружится какая-нибудь семейная сказка, в которую он поверил безоглядно. Могу лишь сказать, что самые талантливые аферисты обычно и сами немного верят в истории, которые придумывают, чтобы облапошить ближнего. Это придает особую достоверность их поведению. Люди им верят! Даже очень осторожные люди!

— Но...

— Отпетые мошенники, пани Эмма, бывают иногда на редкость романтичны. Люди вообще грустят по тому, что им недоступно. В случае вашего друга Ле Мура, я полагаю, это честь.

— Он так говорил про одиночество... Я поверила!

— Ну, это одиночество мошенника. Ему действительно приходилось в поисках тайника проводить в замке много времени, особенно по ночам.

— И потом... Я видела миниатюру. Он словно двойник.

— Что ж, допускаю... — Пан Усы задумался, видимо определяя, сколь далеко за грань реального может позволить себе зайти начальник полиции. Пусть даже и полиции такого странного, чудного городка, как Тальборг. — Может эта... как ее... реинкарнация?

— Некто снова вернулся в свой замок в новом воплощении?

— Нет, не допускаю! — на мгновение задумавшись, выдохнул пан полицейский.

— А зачем тогда... — Я замолчала, оборвав фразу на полуслове. У меня было еще много вопросов. Зачем Жан делал то, зачем делал это? Но я передумала их задавать.

Пан полицейский меня убедил, вот в чем дело.

Не стоит искать в словах и поступках Тени смысл. Как-то я записала в своем дневнике по поводу пана Тадеуша: обычное заблуждение — сумасшедшие что-нибудь скажут, а остальной мир ищет в их словах смысл. Хотя так естественно предположить, что смысла просто нет.

Разница в том, что сумасшедшим был не Тадеуш, он был всего-навсего немного чокнутым. Настоящим сумасшедшим был Жан. Или как там его зовут на самом деле...

— Однако содержимое тайника, судя по всему, действительно похищено! — тоном, дающим понять, что наша беседа близится к завершению, произнес начальник полиции. — И вам придется задержаться, пани. Ведь клад пока не найден!

— То есть, прямо говоря, я арестована?

— До того, как будет найден клад.

— Ничего себе!

— Найдем сундук — и вы будете свободны и вольны покинуть Тальборг в любую минуту! — непреклонно повторил пан Усы.

Я выдохнула с мольбой:

— Дорогой пан начальник полиции!

— Что еще?

— Поскольку я ранее никогда не преступала закона...

— Как выяснилось, никогда не поздно!

— Не могли бы вы разрешить мне... в порядк. исключения...

— Ну, что еще вы задумали?

— Выпить кофе у себя в башне!

— Ах, вот что...

— И я бы очень этого хотела... Последнее желание осужденного!

— Вас еще никто не осуждал, должен заметить.

— Правда?

— Ладно... Идите! И возвращайтесь. Староват я за вами бегать.

— Вот спасибо...

— Идите, так и быть. Все равно вам не убежать: замок на замке. Каламбур.

Итак, у меня появилась идея зайти в башню и выпить кофе. В термосе должно было еще кое-что остаться с вечера. Такие вещи, как арест и заковывание в наручники, все-таки лучше делать после чашечки горячего кофе...

* * *

С чашкой порядком уже остывшего кофе я сидела в почти родной Studierzimmer на подоконнике, размышляя о своих незавидных перспективах.

Клад Марии исчез! Тень... Лемур подтвердил свое монопольное право на клады этого замка. Он забрал сундук. Но я заранее знала, что скажет полиция. Скажут: сама перепрятала! Потом, мол, разыграла сцену плутания по «тайному ходу», о котором на самом деле никто из сотрудников музея понятия не имеет. И сама же вызвала полицию — известный прием преступников, чтобы обеспечить себе алиби.

Доказать, что это сделала не я... не то чтобы затруднительно, а практически невозможно! Как можно обвинять Тень? Понятное дело, никто не поверит моим догадкам о Ле Муре. Как, должно быть, глупо выглядят эти мои разговоры про лемуров... Реальность проста — тайник пуст, а я под подозрением!

Растягивая удовольствие, допивая остатки кофе, я созерцала сверху открывающуюся взору панораму замка. Что делать... Последний глоток, и я выполняю данное пану Усы обещание. Иду! Уже иду!

И тут я увидела *его*.

Он торопился по тропинке, ведущей вдоль первой линии крепостных стен. По всей видимости, к какому-нибудь тайному ходу, о котором знал в силу своего бессмертного статуса. Ясно, что не к выходу из Верхнего замка — там все блокировано полицией.

Полы его длинного серого плаща развевались на бегу. Он бежал... Надо сказать, слишком резво для инфернального существа, которому не одна сотня лет. Притом, что его бег отягощала — прямо-таки мешала ему! — тяжелая ноша. Сундучок!

Неужели торопится спрятать под свою гранитную могильную плиту?

«Вот значит как!» — подумала я. А сам говорил: «Эмма, вы втягиваете меня в нечистоплотную игру. Извините, нет! При всем моем особом отношении к вам».

Нет, Мари Бернстейн этого бы не одобрила. Нельзя ничего выносить из музея!

К тому же я довольно злопамятна. Смерть пани Зборовской и пани Бернстейн очень меня потрясла. Как и смерть Тадеуша. И мне жаль пани кассира.

И потому, кажется, я должна что-то сделать... Что, если он скроется?

Я подошла к свалке всякого древнего оружия, сложенного в углу башни. Алебарды, арбалеты... Нет, конечно, я выбрала лук!

Рыцари освоили это грозное оружие в войнах с сарацинами. И с успехом использовали в своей долгой войне с «северными сарацинами», как они называли пруссов.

Лук висел на стене. Рядом лежал колчан, а в нем две стрелы.

Итак, у меня две попытки.

Я попробовала тетиву... Ничего, сойдет.

Я подошла к окну — латунный шпингалет, естественно, легко скользнул из своего паза.

Я тщательно прицелилась.

Между тем он уже открыл дверь, ведущую в сторожевую башенку. Откуда он легко спустится в ров, а потом... Нет, он не успел этого сделать.

Стрела проткнула полу его развевающегося плаща и пришпилила его к деревянной дверной панели, как мотылька.

Сундук выпал у него из рук и откатился в сторону.

Конкретно я немного скромничала, когда говорила ему, что ничего не умею делать. Не такая уж я и неумеха... Я так и не рассказала о том, что умею стрелять из лука. А говорят, если хотя бы что-то одно в жизни умеешь делать очень хорошо, все будет о'кей.

И тут я увидела, что по замковому рву уже бежит, бряцая наручниками, пан Усы. Пусть теперь разбирается.

Десятый час утра... В машине возле главных ворот с планами обрушения смежной стены меня еще ждет «акула бизнеса».

Янека отпустили, оштрафовав «за незаконное проникновение на территорию музея в ночные часы». Полиция квалифицировала его поведение как мелкое хулиганство. Так сказал мне пан начальник. Отныне квитанция об уплате штрафа есть документ, удостоверяющий, что «акула бизнеса» — мужчина, на которого можно положиться.

* * *

Нет! Пан Усы так и не поймал его...

— К сожалению, преступник не задержан, пани, — несколько смущенно сообщил он мне.

— Что значит — не задержан? Ведь я...

— Этот человек исчез.

— То есть?

— Стрела, выпущенная вами из лука, пригвоздила к деревянной панели лишь лоскут довольно ветхой ткани. Надо сказать, любопытного происхождения — шелк и золотое шитье.

— Можно я взгляну?

Лоскут и в самом деле обтрепался от старости, но все же на нем угадывался рисунок.

— Похоже на листок клевера, пан начальник?

— Не преувеличивайте.

— А сундук?

— Он оказался пуст.

— Правда?

— Однако этот сундучок, даже пустой, служит вам оправданием.

Пан начальник полиции встал, чтобы открыть мне дверь.

— Мы задержим его, не волнуйтесь, — сказал он мне на прощанье. — Это только вопрос времени.

«Какого?» — хотелось задать мне вопрос.

Но я не стала ничего спрашивать. Полицейские, даже такие симпатичные, как пан Усы, не любят неудобные вопросы.

Эпилог

Я заканчиваю писать свой дневник. Это последняя его страница. Янек считает: надо сделать «из этого» роман и напечатать. Чего зря добру пропадать!

Ну, не знаю... Охота за деньгами — не мой конек. В этой погоне я, как выяснилось, не профи, а дилетант. Мой муж с его чутким, несколько, правда, длинноватым носом, всегда чувствующим запах прибыли, опережает тут меня по всем статьям. И фривольные янтарные шедевры Якоба Бернстейна тому убедительное подтверждение. Бизнесмен родом из Тальборга, скупавший дома, чтобы оживить туристический бизнес в родном городке, и тут не промахнулся.

Вещицы, что покоились в сундучке, могут нынче уйти на аукционе по бешеной цене. Нет, клад Мари нами еще не почат. Мы с мужем не решили пока, что с ним делать: оставить в семье или подарить Тальборгу. В принципе, склоняемся ко второму варианту, но не хочется нарушать волю прапрабабушки, не одобрявшей публичного обозрения шедевров легкомысленного прапрапрадедушки.

Про «семью» это не оговорка.

Я переоценила целомудрие своей матери, своей настоящей матери — Марии Бернстейн. Или (так, наверное, справедливее сказать) недооценила силу ее любви к человеку, в паузе между гонками на мотоцикле все-таки успевшему стать моим отцом. Это именно то, что хотела рассказать мне пани Зборовская, подруга Марии.

Ле Мур, прочитав ее письмо, вложенное в мой почтовый ящик, подумал, что она собирается сообщить мне тайну клада. На самом деле пани Ванда намеревалась раскрыть мне тайну моего рождения.

Как это часто случается, подруги были влюблены в одного и того же мужчину — весьма легкомысленного, менявшего девушек, как перчатки... Лучшие подруги все делают, глядя друг на друга и «друг за дружкой». Ничего удивительного, что в советскую эпоху полного отсутствия контрацептивов обе оказались, как говорится, в интересном положении, они и рожали почти в одно и то же время. Но Мария должна была вернуться в свою строгую религиозную страну... И меня удочерила — вечная слава женской дружбе! — ее лучшая подруга. Разумеется, ни мне, ни сестре не было сказано об этом ни слова.

Что же касается моего ловкого мужа... Поскольку он, зная ее с детства, помогал Мари и заботился о ней, то был осведомлен и обо всех ее тайнах. Повторюсь: одно из несомненных достоинств Янека — то, что он понимает все с полуслова, а в некоторых случаях и вовсе без слов.

Вот какой у нас состоялся однажды разговор.

— Когда ты сделала мне «деловое предложение», я, конечно, согласился. Всегда выполняю женские желания! И к тому же «пятьдесят на пятьдесят» — это очень хорошая сделка.

— Перестань ерничать...

— Ну, не хотел оставлять тебя без присмотра.

Женщина в стрессовой ситуации может наделать много глупостей. А поскольку местонахождение тайника перестало быть тайной, я посчитал, что не следует оставлять без присмотра и его. Не хотелось, чтобы твое наследство попало в чужие руки. У меня, видишь ли, с самого начала были в отношении тебя самые серьезные намерения.

— Значит, полиции ничего не сказал?

— При всем уважении к Варчуку, твоему пану Усы, я боялся, что он прохлопает это дело. А то, что кто-то охотится за тайником, я понял еще прежде. Бывая иногда в пустовавшем уже доме Блажеков, я замечал странное отсутствие пыли. Собственно, в ночь нашего с тобой «знакомства» я был там, чтобы проверить некоторые свои догадки.

— Как же тебе удалось заполучить это дурацкий сундук?

— В ловушку тогда в замке я действительно попал. Потому и потерял на какое-то время из виду тебя и твоего инфернального дружка. Но когда выбрался — только ты могла поверить, что я мерз там до утра, я ведь еще мальчишкой облазил весь замок до последнего камня, — то поторопился опустошить тайник. Потом я снова запер сундук, а поскольку он сам по себе довольно тяжел, тому, кто впопыхах схватил его, не пришло в голову, что он уже пуст.

Немного волнуясь, я смотрю на миниатюру из Часослова герцога Беррийского: человек в сером скромном плаще... Он чуть позади герцога! Словно тень...

Что с ним сейчас?

Как сказал поэт: «О, бездна страданья и море тоски».

И, добавлю уже скромно от себя, целая пустыня вечного одиночества!

Он, конечно, злодей. Но есть смягчающее обстоятельство.

Все-таки он пощадил меня... Почему?

Я никому никогда не признаюсь в своей догадке, но женщины чувствуют такие вещи. И никогда никому не разубедить меня, что Жан Ле Мур не испытывал ко мне, как пишут в старых романах, «чувства».

И при всей моей страсти к Янеку, скажу: этой обыкновенной, пусть и страстной, любви к обыкновенному человеку никогда не конкурировать с влюбленностью в романтическую тень, явившуюся из тех времен, когда мужчины, даже засыпая, клали рядом с собой меч, а белый плащ с черным крестом был знаком спасения и защиты. В те времена исчезнувшая ныне раса мужчин не нуждалась в «закрепляющей перчатке» (это, знаете ли, такая железная перчатка, которая не позволяет разжать кулак и выронить оружие в бою и которая появилась значительно позже). Они и так никогда не роняли его.

За время, проведенное в Тальборге, тени стали привычной частью моей жизни. Одних я боюсь, других люблю.

И не надо повторять «этого не может быть». Для меня это не аргумент теперь. Если обожгло руку и ты чувствуешь ожог, то как сказать, что «этого не может быть»?

Иногда мне кажется, что душа пани кассирши тоже не рассталась с замком, как страстная читательница детективов и обещала. Не случайно же мне порой чудится, что я слышу шорох переворачиваемых страниц и характерный звук — бумажный треск, с которым отрывается билет.

Но нынче мы с мужем покидаем Тальборг.

Купили винную ферму в одном чудесном месте. Здесь сразу два океана. Подходящее место для написания романа. Надо вовремя уезжать! Важно успеть покинуть замок прежде, чем он захватит тебя. Пока ты не стал похожим на его обитателей. Или вообще одним из них.

Литературно-художественное издание

Арбенина Ирина Николаевна
ЗАМОК ЯНТАРНЫХ ПРИЗРАКОВ

Ответственный редактор *О. Рубис*
Редактор *И. Шведова*
Художественный редактор *С. Курбатов*
Художник *Е. Шувалова*
Технический редактор *О. Куликова*
Компьютерная верстка *И. Белов*
Корректор *М. Пыкина*

ООО «Издательство «Эксмо»
127299, Москва, ул. Клары Цеткин, д. 18, корп. 5. Тел.: 411-68-86, 956-39-21.
Home page: www.eksmo.ru E-mail: info@eksmo.ru

По вопросам размещения рекламы в книгах издательства «Эксмо»
обращаться в рекламный отдел. Тел. 411-68-74.

Оптовая торговля книгами «Эксмо» и товарами «Эксмо-канц»:
ООО «ТД «Эксмо». 142700, Московская обл., Ленинский р-н, г. Видное,
Белокаменное ш., д.1. Тел./факс: (095) 378-84-74, 378-82-61, 745-89-16,
многоканальный тел. 411-50-74.
E-mail: reception@eksmo-sale.ru

Мелкооптовая торговля книгами «Эксмо» и товарами «Эксмо-канц»:
117192, Москва, Мичуринский пр-т, д. 12/1. Тел./факс: (095) 411-50-76.
127254, Москва, ул. Добролюбова, д. 2. Тел.: (095) 745-89-15, 780-58-34.
www.eksmo-kanc.ru e-mail: kanc@eksmo-sale.ru

Полный ассортимент продукции издательства «Эксмо» в Москве
в сети магазинов «Новый книжный»:
Центральный магазин — Москва, Сухаревская пл., 12
(м. «Сухаревская»,ТЦ «Садовая галерея»). Тел. 937-85-81.
Москва, ул. Ярцевская, 25 (м. «Молодежная», ТЦ «Трамплин»). Тел. 710-72-32.
Москва, ул. Декабристов, 12 (м. «Отрадное», ТЦ «Золотой Вавилон»). Тел. 745-85-94.
Москва, ул. Профсоюзная, 61 (м. «Калужская», ТЦ «Калужский»). Тел. 727-43-16.
Информация о других магазинах «Новый книжный» по тел. 780-58-81.

В Санкт-Петербурге в сети магазинов «Буквоед»:
«Книжный супермаркет» на Загородном, д. 35. Тел. (812) 312-67-34
и «Магазин на Невском», д. 13. Тел. (812) 310-22-44.

Полный ассортимент книг издательства «Эксмо»:
В Санкт-Петербурге: ООО СЗКО, пр-т Обуховской Обороны, д. 84Е.
Тел. отдела реализации (812) 265-44-80/81/82/83.
В Нижнем Новгороде: ООО ТД «Эксмо НН», ул. Маршала Воронова, д. 3.
Тел. (8312) 72-36-70.
В Казани: ООО «НКП Казань», ул. Фрезерная, д. 5. Тел. (8432) 78-48-66.
В Киеве: ООО ДЦ «Эксмо-Украина», ул. Луговая, д. 9.
Тел. (044) 531-42-54, факс 419-97-49; e-mail: sale@eksmo.com.ua

Подписано в печать 24.01.2005
Формат 84×108 $^1/_{32}$. Гарнитура «Таймс». Печать офсетная.
Бум. тип. Усл. печ. л. 16,8. Уч.-изд. л. 11,4
Тираж 5000 экз. Заказ 2079.

Отпечатано с готовых диапозитивов издательства.
ОАО «Тверской полиграфический комбинат»
170024, г. Тверь, пр-т Ленина, 5. Телефон: (0822) 44-42-15
Интернет/Home page - www.tverpk.ru Электронная почта (E-mail) - sales@tverpk.ru